Le
Livre
de
Poche
Jeunesse

Jeu de tueur

Anthony Horowitz

Né en 1957, Anthony Horowitz a écrit près d'une trentaine de livres pleins d'humour pour enfants et adolescents. Il a un public passionné autant en France que dans la douzaine de pays où ses histoires policières, fantastiques et d'horreur sont traduites. En Angleterre, son pays d'origine, il est également connu pour ses scénarios de séries télévisées. Les aventures d'*Alex Rider* ont été vendues à plus de treize millions d'exemplaires dans le monde.

Du même auteur :

- Alex Rider (9 tomes)
- L'île du crâne - Tome 1
- Maudit Graal - Tome 2
- Le Pouvoir des Cinq (4 tomes)
- Les frères Diamant (4 tomes)
- La Maison de Soie - Le nouveau Sherlock Holmes
- Le diable et son valet
- Satanée grand-mère !
- Signé Frédéric K. Bower
- Mortel chassé-croisé
- L'auto-stoppeur
- La photo qui tue
- Nouvelles histoires sanglantes

ANTHONY HOROWITZ

Jeu de tueur

Alex Rider

Tome 4

Traduit de l'anglais
par Annick Le Goyat

Silhouette de couverture dessinée par Phil Schramm.
Reproduite avec l'autorisation de Walker Books (Londres).

Cet ouvrage a paru en langue anglaise
chez Walker Books (Londres)
sous le titre :
EAGLE STRIKE

43, quai de Grenelle, 75015 Paris.

PROLOGUE

Jungle amazonienne. Quinze ans plus tôt.

Il leur avait fallu cinq jours de marche. Cinq jours pour se frayer un passage à coups de machette au milieu d'une végétation dense et écrasante, dans une atmosphère oppressante, lourde et humide. Les arbres hauts comme des cathédrales se dressaient devant eux, menaçants. Une étrange lumière verte, d'où émanait une vague impression de sacré, filtrait au travers du vaste chapiteau de feuillage. La forêt tropicale semblait posséder son intelligence propre. Elle avait la voix d'un cri soudain de perroquet, du babillement d'un singe se balançant d'une branche à l'autre. Elle savait qu'ils étaient là.

Jusqu'ici la chance leur avait souri. Bien sûr, ils

avaient subi des attaques de moustiques, de sangsues et de fourmis voraces, mais les serpents et les scorpions les avaient épargnés. Et aucun piranha n'infestait les rivières qu'ils avaient traversées.

Ils voyageaient léger, ne transportant que leurs rations de base, une carte, une boussole, des gourdes d'eau, des pastilles d'iode, des moustiquaires et des machettes. L'objet le plus lourd était la carabine Winchester 88 équipée d'une lunette de visée avec laquelle ils tueraient l'homme qui vivait dans ces lieux impénétrables, à environ cent cinquante kilomètres au sud d'Iquitos, au Pérou.

Les deux tueurs se connaissaient mais ne s'appelaient pas par leurs prénoms. Cela faisait partie de leur entraînement. Le plus âgé avait pour surnom Hunter, le Chasseur. Il était anglais mais parlait sept autres langues, si couramment qu'il pouvait passer pour un autochtone dans la plupart des pays où il voyageait. Trente ans, beau, les cheveux coupés ras et le regard en alerte d'un soldat aguerri. Le second était mince, blond, trépidant d'énergie. Il avait choisi pour pseudonyme Cosaque. Il avait tout juste dix-neuf ans et c'était son premier contrat.

Les deux hommes portaient une tenue kaki, la couleur de camouflage habituelle dans la jungle. Leurs visages étaient également barbouillés de vert, avec des zébrures brunes sur les joues. Ils avaient atteint leur destination au lever du soleil. À présent ils restaient parfaitement immobiles, indifférents aux insectes qui les assaillaient et goûtaient leur sueur.

Devant eux s'ouvrait une clairière taillée par l'homme et séparée de la forêt par une clôture de dix mètres de haut. Une élégante demeure coloniale – vérandas et volets de bois, rideaux blancs et ventilateurs tournant lentement aux plafonds – se dressait au centre. Deux autres bâtisses basses en briques se trouvaient à une vingtaine de mètres derrière : sans doute les quartiers des gardes. Ils étaient une douzaine, qui patrouillaient dans l'enceinte et faisaient le guet sur des miradors rouillés. Peut-être y en avait-il d'autres à l'intérieur. En tout cas ils étaient paresseux. Ils faisaient leur ronde avec mollesse et désinvolture. Isolés ainsi au milieu de la jungle, ils se croyaient en sécurité.

Un hélicoptère à quatre places attendait sur une aire d'asphalte, juste à côté de la maison. Le propriétaire des lieux n'avait que vingt pas à faire pour le rejoindre. C'était le seul moment où il serait visible. Le moment où il devrait mourir.

Les deux hommes connaissaient l'identité de celui qu'ils étaient venus tuer, mais ne prononçaient jamais son nom. Cosaque avait commis une fois cette erreur et Hunter l'avait aussitôt corrigé.

— N'appelle jamais une cible par son nom. Ça lui donne une personnalité. Ça ouvre une porte dans sa vie et, le moment venu, ça risque de te faire hésiter.

Hunter avait ainsi donné de nombreux conseils à Cosaque. La cible était pour eux le « Commandant ». Un soldat – ou un ancien soldat. Il aimait encore porter des vêtements de style militaire et sa troupe de gardes du corps constituait une véritable petite armée. Ce surnom lui allait bien.

Le Commandant n'était pas un homme estimable, mais un trafiquant de drogue. Il exportait de la cocaïne sur une grande échelle et contrôlait l'un des gangs les plus sanguinaires du Pérou, qui torturait et tuait quiconque se dressait en travers de son chemin. Mais tout ceci n'avait aucune importance pour Hunter et Cosaque. Ils étaient là parce qu'on leur avait versé vingt mille dollars pour liquider le Commandant. Si celui-ci avait été un prêtre ou un médecin, cela n'aurait fait pour eux aucune différence.

Hunter consulta sa montre. Sept heures cinquante-huit minutes. Le Commandant devait partir pour Lima à huit heures précises. On le disait ponctuel. Hunter chargea une unique balle dans la Winchester et ajusta la lunette de visée. Une balle suffirait.

De son côté, Cosaque avait sorti ses jumelles et scrutait la clairière. Le jeune homme n'avait pas peur mais il était tendu, excité. Un filet de transpiration ruisselait derrière son oreille et le long de sa nuque. Il avait la bouche sèche. Quelque chose lui tapota le dos. Il pensa que Hunter lui intimait l'ordre de garder son calme. Mais son coéquipier se tenait plus loin, concentré sur sa Winchester.

Quelque chose bougea.

Cosaque en fut tout à fait certain lorsque la « chose » grimpa sur son épaule puis dans son cou. Mais il était trop tard. Très lentement, il tourna la tête. Elle était là, à la limite de son champ de vision, accrochée juste sous sa mâchoire. Une araignée. Cosaque avala sa salive. D'après le poids de la bestiole, il avait d'abord pensé à une tarentule. Mais c'était pire, bien pire. Elle était toute noire, avec une petite tête et un corps obscène, gonflé... comme un fruit prêt à exploser. S'il l'avait retournée, il aurait trouvé sur son abdomen une marque rouge en forme de sablier.

Une veuve noire. *Latrodectus curacaviensis*. L'une des araignées les plus mortelles au monde.

La veuve noire bougea. Ses pattes avant s'allongèrent et l'une d'elles frôla le coin de la bouche de Cosaque. Les autres pattes étaient encore accrochées à son cou, tandis que le corps pendait sous sa mâchoire. Il avait envie de déglutir mais n'osait pas. Le plus infime mouvement risquait d'alerter l'araignée qui, de toute façon, n'avait besoin d'aucun prétexte pour attaquer. Cosaque supposa qu'il s'agissait d'une femelle. Mille fois plus dangereuse que le mâle. Si elle décidait de le mordre, ses crocs évidés lui injecteraient un venin neurotoxique qui paralyserait tout son système nerveux. Au début il ne sentirait rien. Seuls deux minuscules points rouges apparaîtraient sur sa peau. La douleur viendrait au bout d'une heure, par vagues. Ses paupières deviendraient lourdes. Il ne pourrait plus respirer, serait pris de convulsions. Et presque à coup sûr il mourrait.

Cosaque songea à lever une main pour chasser l'immonde créature. Si elle s'était promenée partout ailleurs sur son corps, il aurait tenté sa chance. Mais l'araignée avait élu domicile sur sa gorge, comme fascinée par sa pulsation. Cosaque brûlait d'envie d'appeler Hunter mais ne voulait pas courir le risque de bouger les muscles de son cou. Il respirait à peine. De son côté, Hunter procédait aux derniers réglages, parfaitement inconscient de ce qui se passait. Que faire ?

Cosaque siffla. Obsédé par la chose immonde suspendue dans son cou ce fut le seul son qu'il osa émettre. Une autre patte effleura sa lèvre. Allait-elle grimper sur son visage ?

Hunter tourna la tête et comprit que quelque chose clochait. Cosaque était anormalement rigide, son visage livide, ses traits crispés. Hunter avança d'un pas, de telle façon que son jeune coéquipier se trouvait maintenant entre lui et la clairière. Il avait baissé la canon de sa Winchester vers le sol.

Hunter vit l'araignée.

Au même instant, la porte de la maison s'ouvrit et le Commandant apparut, un attaché-case à la main.

Courtaud, replet, vêtu d'une tunique noire à col ouvert, il n'était pas rasé et fumait une cigarette.

Il n'avait que vingt mètres à parcourir pour rejoindre l'hélicoptère et marchait d'un pas vif tout en bavardant avec les deux gardes du corps qui l'escortaient. Les yeux de Cosaque cillèrent en se posant sur Hunter. Il savait que l'organisation qui les employait ne tolérait aucun échec et c'était maintenant leur seule chance de liquider le Commandant. L'araignée changea de position et Cosaque, en baissant les yeux, vit sa tête. Une grappe de petits yeux luisants – une demi-douzaine –, hideux, l'observaient. Sa peau le démangeait. Il avait envie de s'arracher la moitié du visage. Il savait que Hunter ne pouvait rien faire pour lui. Il avait un homme à abattre. Le Commandant n'était plus qu'à dix pas de l'hélicoptère. Les pales du rotor tournaient déjà. Cosaque réprima l'envie de hurler : « Vas-y ! Tire ! » Effrayée par le bruit de la détonation, l'araignée le mordrait instantanément. Mais c'était sans importance. Il fallait exécuter la mission.

Hunter mit moins de deux secondes pour prendre sa décision. Il pouvait utiliser l'extrémité du canon pour écarter la veuve noire et avait une chance de réussir avant qu'elle attaque Cosaque. Cependant, cela laisserait le temps au Commandant de monter dans l'hélicoptère, à l'abri derrière les vitres blindées. Ou bien il pouvait abattre le Commandant. Dans ce cas, il lui faudrait aussitôt faire demi-tour et fuir en courant pour disparaître dans la jungle, sans pouvoir aider Cosaque.

Hunter fit son choix. Il leva son arme, visa et tira.

La balle partit, chauffée à blanc, et traça un sillon dans le cou de Cosaque. La veuve noire se désintégra instantanément sous l'impact de la balle. Celle-ci poursuivit sa course, traversa la clairière, la clôture et, portant encore de minuscules fragments de l'araignée, s'enfonça dans la poitrine du Commandant à l'instant où il s'apprêtait à grimper dans l'hélicoptère. Il se figea, comme sous l'effet de la surprise, porta une main à son cœur, et s'effondra. Ses gardes du corps pivotèrent en hurlant et scrutèrent la jungle pour localiser l'ennemi invisible.

Hunter et Cosaque avaient déjà filé. La forêt les absorba en quelques secondes, mais ils ne s'arrêtèrent qu'une heure plus tard pour reprendre leur souffle.

Cosaque saignait. Une mince ligne rouge que l'on aurait pu croire tracée avec une règle courait dans son cou, et le sang avait coulé, tachant sa chemise. Mais la veuve noire ne l'avait pas mordu. Il tendit la main pour prendre la gourde d'eau que lui tendait Hunter et but une rasade.

— Tu m'as sauvé la vie, dit Cosaque.

Hunter réfléchit un instant avant de répondre :

— Prendre une vie et en sauver une autre avec la même balle... c'est pas si mal.

Cosaque garderait une cicatrice jusqu'à la fin de sa

vie. Qui ne serait pas très longue. La vie d'un tueur professionnel est souvent courte. Hunter mourrait le premier, dans un autre pays, au cours d'une autre mission. Ensuite viendrait le tour de Cosaque.

Pour l'instant il se taisait. Ils avaient fait leur boulot. Rien d'autre ne comptait. Cosaque rendit la gourde à Hunter et les deux hommes reprirent leur route à coups de machette à travers la jungle qui les épiait, sous le soleil matinal déjà haut et brûlant.

1

CE NE SONT PAS MES AFFAIRES

Alex Rider se faisait dorer au soleil de midi, allongé sur le dos. L'eau salée de sa dernière baignade gouttait de ses cheveux et s'évaporait de son torse. Son short mouillé lui collait à la peau. En cet instant précis, Alex était aussi heureux qu'il est possible de l'être ; une semaine de vacances parfaites depuis la seconde où l'avion avait touché la piste de l'aéroport de Montpellier, dans l'étincelante lumière méditerranéenne. Alex adorait le sud de la France, ses couleurs intenses, ses parfums, son rythme de vie tranquille qui permettait de profiter pleinement de chaque minute. Il ignorait quelle heure il était mais savait qu'il avait faim et que le déjeuner approchait. Il perçut une brève explosion de musique quand une fille passa devant lui avec une radio. Alex la suivit machinalement des yeux et, soudain, la mer se figea, le monde entier parut retenir son souffle.

Alex ne regardait plus la fille à la radio, mais au-delà d'elle, derrière la digue qui séparait la plage de la jetée où venait d'accoster un yacht immense, presque de la taille du bateau qui transportait les touristes le long de la côte. Mais aucun touriste n'y poserait jamais le pied. Il n'avait rien d'accueillant, avec ses vitres teintées, sa proue massive qui se dressait comme un mur blanc et compact. Un homme se tenait à l'avant, le regard fixe et droit, le visage impassible. Un visage qu'Alex reconnut aussitôt.

Yassen Gregorovitch. Aucun doute possible.

Alex ne bougeait pas, dressé sur un coude, la main à demi enfouie dans le sable. Son regard ne quittait pas le yacht, où un homme d'une vingtaine d'années émergea de la cabine pour amarrer le bateau. Trapu, une allure de singe, vêtu d'un maillot de corps à grosses mailles laissant voir les tatouages qui lui recouvraient les bras et les épaules. Un matelot ? Yassen ne lui avait pas proposé son aide pour la manœuvre. Soudain, un troisième homme accourut sur la jetée. Gros et chauve, vêtu d'un costume blanc bon marché. Son crâne lisse avait pris un vilain coup de soleil.

Yassen l'aperçut et descendit sur la jetée à sa rencontre. Il portait un jean et une chemise blanche à col ouvert. D'autres que lui auraient eu du mal à garder leur équilibre en descendant l'échelle de coupée oscillante. Pas Yassen. Il se mouvait avec aisance, sans l'ombre d'une hésitation. Quelque chose d'inhumain émanait de sa personne. Avec ses cheveux coupés ras, son regard bleu pâle, son visage inexpressif, il n'avait rien d'un vacancier. Mais Alex était le seul à savoir qui il était. Un tueur à gages. Yassen Gregorovitch avait tué son oncle et bouleversé sa vie. Il était recherché dans le monde entier.

Que faisait-il ici, dans cette petite station balnéaire proche de la Camargue ? À Saint-Pierre, hormis les plages, les campings, les innombrables restaurants et l'église surdimensionnée qui ressemblait à une forteresse, il n'y avait rien. Alex avait mis une semaine à s'habituer au charme tranquille de l'endroit. Et maintenant, Yassen... !

— Alex ? Qu'est-ce que tu regardes ? demanda Sabina.

Alex dut faire un effort pour revenir à la réalité.

— Je...

Les mots ne voulaient pas sortir. Il ne savait quoi dire.

— Tu veux bien me remettre de la crème solaire dans le dos ? Je suis en train de cuire...

Sabina. Mince, brune, parfois plus mûre que ses quinze ans. Probablement le genre de filles à troquer ses jouets contre les garçons dès l'âge de onze ans. Elle avait beau utiliser un écran solaire « indice de protection 25 », elle éprouvait le besoin de s'enduire de crème tous les quarts d'heure, et cette tâche incombait toujours à Alex. Il jeta un coup d'œil au dos idéalement bronzé de Sabina. Elle portait un bikini si minuscule que même un simple motif sur le tissu aurait été difficile à caser. Ses yeux étaient protégés par de fausses lunettes de soleil Christian Dior (achetées dix fois moins cher que les vraies) et son visage enfoui dans *Le Seigneur des anneaux*.

Alex reporta son attention sur le yacht. Yassen serrait la main de l'homme chauve. Le matelot attendait à l'écart. Même à cette distance il était manifeste que Yassen était le patron. Un jour, Alex l'avait vu tuer de sang-froid un homme qui avait par mégarde laisser tomber un colis précieux. L'extraordinaire froideur qui émanait de Yassen Gregorovitch paraissait neutraliser le soleil méditerranéen lui-même. Très peu de personnes dans le monde auraient pu reconnaître le Russe. Alex en faisait partie. La présence de Yassen ici avait-elle un rapport avec lui ?

— Alex..., répéta Sabina.

Les trois hommes s'éloignaient du yacht et se dirigeaient vers le village. Alex se leva d'un bond.

— Je reviens.

— Où vas-tu ?

— J'ai soif...

— J'ai de l'eau.

— Non. Je veux un Coca...

Alors même qu'il enfilait son tee-shirt, Alex pressentit que ce n'était pas une bonne idée. Yassen Gregorovitch avait pu venir en Camargue pour passer des vacances ou pour assassiner le maire du village. Sa présence n'avait aucun rapport avec lui, et courir le risque de le croiser était absurde. Alex se rappelait sa promesse faite au Russe, lors de leur dernière rencontre, sur un toit de Londres :

— Tu as tué Ian Rider. Un jour, je te tuerai.

À ce moment-là, il le pensait sincèrement. Mais le temps avait passé... Aujourd'hui, Alex ne voulait rien avoir à faire avec Yassen Gregorovitch ni avec le monde qu'il représentait.

Et pourtant...

Yassen était ici. Il devait découvrir pourquoi.

Les trois hommes marchaient dans la rue principale, sur le front de mer. Alex traversa la plage et passa devant l'arène en ciment blanc qui l'avait beaucoup étonné le jour de son arrivée. Puis il avait pensé que l'Espagne n'était pas loin et que, ici aussi, on élevait des taureaux. Le soir-même, avait lieu une corrida et une foule d'aficionados faisait la queue pour acheter des billets. Alex et Sabina avaient préféré s'abstenir.

— J'espère que c'est le taureau qui gagnera, avait simplement dit Sabina.

Yassen et ses deux compagnons tournèrent à gauche et disparurent dans le centre du bourg. Alex accéléra le pas, sachant combien il était facile de perdre quelqu'un dans l'enchevêtrement de ruelles qui entouraient l'église. Il courait peu de risques de se faire repérer, surtout au milieu de la foule de vacanciers. D'autant que Yassen devait se croire en sécurité. Mais avec lui on n'était jamais sûr de rien. À chaque pas, Alex sentait son cœur tambouriner. Il avait la bouche sèche et, cette fois, ce n'était pas à cause de la chaleur.

Yassen avait filé. Alex scruta la foule qui se pressait de toutes parts, entrait et sortait des magasins, s'installait aux terrasses des restaurants qui commençaient déjà à servir le déjeuner. Une odeur de paella flottait dans l'air. Alex pesta d'avoir gardé trop de distance, de n'avoir pas osé s'approcher davantage. Les trois hommes avaient pu disparaître à l'intérieur de n'importe quelle maison. Et puis il avait peut-être rêvé ? Cette hypothèse séduisante se trouva balayée la seconde suivante, lorsqu'il aperçut le Russe et ses acolytes assis à la terrasse d'un des plus élégants restaurants de la place. Le chauve demandait déjà la carte au serveur.

Alex utilisa le présentoir de cartes postales d'un marchand de souvenirs en guise d'écran entre Yassen et lui. Juste à côté se trouvait un café brasserie qui servait des boissons et des sandwichs sous de grands parasols multicolores. Il s'y faufila. Les trois hommes étaient maintenant à moins de dix mètres et Alex put observer certains détails. Le matelot engloutissait avidement d'énormes bouchées de pain comme s'il n'avait pas mangé depuis une semaine. Le chauve parlait d'une voix basse et pressante, agitant le poing pour souligner ses propos. Yassen écoutait patiemment. Le bruit ambiant empêchait Alex de saisir leurs paroles. Il contourna un parasol pour s'approcher davantage et entra en collision avec un serveur qui l'invectiva vertement. Yassen jeta un coup d'œil dans leur direction et Alex recula vivement, craignant d'avoir attiré son attention.

Une rangée d'arbustes dans des bacs de bois séparait le café de la terrasse du restaurant où étaient attablés les trois hommes. Alex parvint à se glisser entre deux des bacs et se faufila dans l'intérieur obscur du restaurant. Il s'y sentit moins exposé. Les cuisines se trouvaient juste derrière lui. Sur un côté, un bar occupait tout le mur. De l'autre, s'alignaient une douzaine de tables, toutes vides. Les clients avaient préféré la terrasse. Les serveurs entraient et sortaient des cuisines avec les plats.

Alex jeta un coup d'œil par la porte... et retint son souffle. Yassen s'était levé et avançait vers lui d'un pas décidé. L'avait-il repéré ? Non. Le Russe tenait à la main un téléphone portable. Il avait sans doute reçu un appel et entrait dans la salle de restaurant pour être plus tranquille. Encore quelques pas et il franchirait la porte. Alex se retourna et aperçut une alcôve protégée par un rideau de perles. Il s'y engagea sans hésiter et se retrouva dans un débarras, juste assez grand pour le cacher. Balais, seaux, serpillières, cartons et bouteilles vides s'y entassaient. Les perles du rideau ondoyèrent avant de s'immobiliser.

Tout à coup, Yassen fut là. Tout près.

— Je suis arrivé il y a vingt minutes, expliqua-t-il à son correspondant dans un anglais parfait où perçait un infime accent russe. Franco m'attendait. L'adresse est confirmée et tout est arrangé.

Il y eut un silence. Alex s'efforçait de ne pas respirer. Il se tenait à quelques centimètres de Yassen, séparé de lui par la seule et fragile barrière de perles aux couleurs vives. Sans la pénombre qui régnait à l'intérieur de la salle et l'éblouissement causé par le soleil, Yassen l'aurait probablement vu.

— On fera ça cet après-midi. Ne vous tracassez pas. Mieux vaut ne plus nous contacter. Je vous appellerai à mon retour en Angleterre.

Yassen coupa la communication. Soudain, il se figea. Alex perçut sa vigilance subite, comme si un instinct animal lui avait soufflé qu'il était épié. Sa tête était immobile mais son regard dardait des éclairs de gauche à droite, cherchant l'ennemi. Derrière le rideau de perles, Alex ne cillait pas. Que pouvait-il faire ? Tenter de fuir ? Courir dehors ? Non. Il serait mort avant d'avoir fait deux pas. Yassen le tuerait sans même savoir qui il était et pourquoi il se trouvait là.

Avec une lenteur infinie, Alex chercha des yeux une arme, n'importe quoi pour se défendre.

Soudain, la porte des cuisines s'ouvrit. Un serveur apparut, les mains chargées de plats. Il esquiva Yassen tout en le houspillant. Le temps s'était arrêté quelques instants mais maintenant, tout avait volé en éclats. Yassen remit son portable dans sa poche de pantalon et sortit rejoindre ses compagnons.

Alex poussa un immense soupir de soulagement et récapitula ce qu'il venait d'apprendre.

Yassen Gregorovitch se trouvait ici pour tuer quelqu'un. Cela au moins était une certitude.

« L'adresse est confirmée et tout est arrangé. » La cible était probablement un Français habitant Saint-Pierre. Le meurtre aurait lieu l'après-midi. Une balle, ou peut-être une lame étincelant dans le soleil. Un bref instant de violence et quelqu'un, en Angleterre, pousserait un soupir satisfait en songeant qu'il avait un ennemi de moins.

Que pouvait faire Alex ?

Il écarta le rideau de perles et quitta le restaurant par la sortie de secours à l'arrière du restaurant. Il fut soulagé de se retrouver dans la rue et non sur la place. Maintenant il devait rassembler ses pensées. Bien sûr, il pouvait aller voir la police. Raconter qu'il était un espion et avait travaillé deux ou trois fois pour le MI6, le service de renseignements britannique. Expliquer qu'il avait reconnu Yassen Gregorovitch, un tueur à gages, et que celui-ci préméditait un assassinat l'après-midi même.

À quoi bon ? Jamais la police française ne le croirait. À leurs yeux, il ne serait qu'un adolescent anglais bronzé et plein d'imagination. Au mieux, ils éclateraient de rire.

Autre solution : en parler à Sabina et à ses parents. Mais Alex s'y refusait aussi. Il était leur invité et ne se sentait pas le droit de faire surgir le meurtre et la terreur au beau milieu de leurs vacances. D'ailleurs, eux non plus ne le croiraient pas. Alex se souvenait encore du fou rire de Sabina, quelques semaines plus tôt, en Cornouailles, quand il avait tenté de lui avouer la vérité.

Alex regarda autour de lui : les boutiques pour touristes, les marchands de glaces, la foule qui déambulait joyeusement dans les rues. Une véritable carte postale. Le monde réel. Pourquoi diable allait-il encore se fourvoyer avec des espions et des assassins ? Il était en vacances. Ce n'étaient pas ses affaires. Que Yassen fasse ce qu'il était venu faire ! De toute façon, même s'il essayait, Alex ne pourrait rien empêcher. Autant oublier qu'il avait vu le Russe.

Il redescendit la rue de la plage pour rejoindre Sabina tout en cherchant une excuse pour justifier son départ précipité et son humeur subitement assombrie.

L'après-midi, Sabina et Alex partirent avec un voisin à Aigues-Mortes, un village fortifié en bordure des marais salants. Sabina avait envie d'échapper un peu à ses parents, de traîner dans les cafés pour observer les autochtones et les touristes. Elle avait inventé un système de notation pour juger la beauté des garçons français : des points en moins sanctionnaient les jambes chétives, les dents de travers ou l'absence de goût vestimentaire. Aucun n'avait encore obtenu plus de sept sur vingt. En temps normal, Alex se serait beaucoup amusé à écouter ses commentaires.

Mais pas cet après-midi-là.

Tout lui semblait flou. Les hauts murs des fortifications lui paraissaient lointains et les touristes en excursion lui donnaient l'impression de se mouvoir au ralenti. Alex aurait pourtant voulu se réjouir d'être là, retrouver l'humeur joyeuse des vacances. Mais Yassen Gregorovitch avait tout gâché.

Alex avait fait la connaissance de Sabina un mois auparavant, alors qu'ils travaillaient tous les deux comme bénévoles au tournoi de tennis de Wimbledon. Ils avaient tout de suite sympathisé. Sabina était fille unique. Sa mère, Liz, était styliste dans la mode. Son père, Edward, journaliste. Alex l'avait très peu vu. Edward Pleasure les avait rejoints plus tard, descendant de Paris en train, et depuis il travaillait sur un article.

La famille avait loué une villa juste à la sortie du village, au bord d'une rivière : le Petit Rhône. C'était une maison simple et typique de la région : murs blancs, volets bleus, toit de tuiles provençales ocre. Elle comprenait trois chambres à coucher et, au rez-de-chaussée, une cuisine claire et spacieuse, à l'ancienne, qui ouvrait sur un jardin luxuriant, abritant une piscine et un court de tennis où quelques herbes folles poussaient dans les fissures du ciment. Alex avait tout de suite adoré cette maison. Sa chambre donnait sur le Petit Rhône. Le soir, Sabina et lui passaient des heures vautrés sur un vieux sofa défoncé à bavarder tranquillement en regardant couler la rivière.

La première semaine de vacances avait filé en un éclair. Ils nageaient dans la piscine, allaient se baigner dans la mer, à un kilomètre environ. Ils marchaient, randonnaient dans les collines, faisaient du canoë. Une fois, ils avaient monté à cheval (ce n'était pas le sport préféré d'Alex...) Il aimait beaucoup les parents de Sabina. Ils faisaient partie de ces adultes qui n'ont pas oublié qu'ils ont été adolescents, et laissaient plus ou moins Alex et Sabina faire ce qui leur plaisait. Ces journées avaient été idylliques.

Jusqu'à l'arrivée de Yassen.

— L'adresse est confirmée et tout est arrangé. On fera ça cet après-midi...

Quels étaient les plans du Russe ? Quelle mauvaise étoile l'avait conduit ici, pour jeter à nouveau son ombre sur la vie d'Alex ? Malgré la chaleur, Alex frissonna.

— Alex ?

Il sursauta. Sabina le dévisageait avec curiosité.

— À quoi penses-tu ? Tu étais à des kilomètres.

— À rien.

— Tu as été bizarre tout l'après-midi. Il s'est passé quelque chose, ce matin ? Où as-tu disparu quand nous étions sur la plage ?

— Je te l'ai dit. J'avais soif.

Alex détestait lui mentir mais il ne pouvait lui dire la vérité.

— On devrait partir. J'ai promis qu'on serait rentrés vers cinq heures. Oh... Alex ! Regarde celui-ci ! s'exclama Sabina en désignant un adolescent. Quatre sur vingt. Il n'y a donc pas de jolis garçons en France ?... En dehors de toi, je veux dire.

— Merci. Quelle note tu me donnes ?

Sabina réfléchit un instant.

— Douze et demi sur vingt, répondit-elle enfin. Mais ne t'inquiète pas. Dans dix ans, tu seras parfait.

Parfois l'horreur s'annonce de la façon la plus anodine.

Ce jour-là, ce fut sous la forme d'une voiture de police roulant à vive allure sur la route sinueuse descendant vers Saint-Pierre. Alex et Sabina étaient assis à l'arrière de la même camionnette qui les avait conduits. Ils contemplaient un troupeau de taureaux qui paissaient dans un pré lorsque la voiture de police les doubla, sirène hurlante et gyrophare clignotant sur le toit, et disparut au loin. L'image de Yassen n'avait pas quitté Alex et, au passage de la voiture de police, le nœud qui lui comprimait l'estomac se resserra. Mais ce n'était qu'une voiture de police. Rien de plus banal.

Ensuite il vit un hélicoptère, qui semblait avoir décollé d'un endroit proche et s'élevait dans le ciel éclatant. Sabina l'aperçut et le montra du doigt.

— Il se passe quelque chose. L'hélico arrive du village.

L'hélicoptère venait-il vraiment du village ? Alex n'en était pas certain. Il le regarda passer au-dessus d'eux et filer en direction d'Aigues-Mortes. Sa respiration s'était brusquement accélérée et il sentit une peur sans nom le submerger.

La camionnette prit un virage et Alex comprit que ses pires craintes s'étaient réalisées, mais d'une manière que jamais il n'aurait pu supposer.

Des gravats, des briques déchiquetées, de l'acier tordu. Une épaisse fumée noire s'élevait dans le ciel. Leur maison avait été soufflée par une explosion. Un seul mur demeurait intact, donnant la cruelle illusion qu'il y avait peu de dégâts. Mais le reste s'était effondré. Alex aperçut un lit en cuivre difforme, bizarrement suspendu à mi-hauteur. Des volets bleus gisaient sur la pelouse à une cinquantaine de mètres. L'eau de la piscine était brunâtre et écumeuse. L'explosion avait été violente.

Une flotte de voitures et de fourgonnettes était garée alentour. Les véhicules appartenaient à la police, à l'hôpital, aux pompiers et à la brigade antiterroriste. Ils parurent à Alex étrangement irréels, un peu comme des jouets aux couleurs brillantes. Dans un pays étranger, rien ne semble plus étranger que les services de secours.

— Maman ! Papa !

Alex entendit Sabina hurler et la vit sauter de la camionnette avant que celle-ci soit totalement immobilisée. Elle s'élança sur l'allée de gravier en se frayant de force un passage au milieu des hommes en uniforme. Alex descendit à son tour de la camionnette, pas tout à fait sûr que ses pieds allaient toucher le sol et non s'y enfoncer. Sa tête tournait. Il crut qu'il allait s'évanouir.

Il avança. Personne ne lui adressa la parole, comme s'il n'était pas là. Il aperçut la mère de Sabina surgir de nulle part, le visage maculé de larmes et de cendres. Il songea que si elle était indemne, si elle se trouvait à l'extérieur de la maison au moment de l'explosion, alors peut-être Edward Pleasure en avait-il réchappé aussi. Mais quand il vit Sabina éclater en sanglots et se jeter dans les bras de sa mère, il comprit.

Il s'approcha, à temps pour entendre les paroles de Liz Pleasure à sa fille recroquevillée dans ses bras.

— On ne sait pas ce qui s'est passé. Un hélicoptère conduit papa à Montpellier. Il est vivant, Sabina, mais gravement blessé. Nous allons le rejoindre. Tu sais que ton papa est un battant. Mais... les docteurs ne savent pas s'il va... On ne peut encore rien dire...

L'odeur de brûlé assaillit Alex. La fumée avait obscurci le soleil. Ses yeux s'embuèrent de larmes et il eut du mal à respirer.

C'était sa faute.

Il ignorait la raison de cette catastrophe, mais il connaissait le responsable. Yassen Gregorovitch.

Ce ne sont pas mes affaires. Alex s'était dit cela. Et voilà quel était le résultat de son inconséquence.

2

LE DOIGT SUR LA DÉTENTE

Le policier qui faisait face à Alex était jeune, inexpérimenté, et cherchait ses mots. Non parce qu'il avait des difficultés avec la langue anglaise mais parce que, dans ce petit coin de France, le pire auquel son métier le confrontait habituellement était une conduite en état d'ivresse ou la perte d'un portefeuille sur la plage. Aujourd'hui, il se trouvait devant une situation nouvelle qui le dépassait totalement.

— C'est une affaire terrible, répétait-il. Tu connais M. Pleasure depuis longtemps ?

— Non, pas très longtemps, répondit Alex.

— Il sera bien soigné, assura le policier avec un sourire encourageant. Mme Pleasure et sa fille sont en route pour l'hôpital ; elles nous ont demandé de veiller sur toi.

Alex était assis sur une chaise pliante, à l'ombre d'un arbre. Il était un peu plus de cinq heures mais le soleil était encore très chaud. La rivière s'écoulait à quelques mètres et Alex aurait donné n'importe quoi pour y plonger et nager, nager, jusqu'à ce que toute cette histoire soit loin derrière lui.

Sabina et sa mère étaient parties depuis dix minutes et il se trouvait seul avec le jeune policier. On lui avait donné une chaise et une bouteille d'eau, mais visiblement personne ne savait quoi faire de lui. D'autres officiels étaient arrivés : des responsables politiques locaux, des gendarmes et des pompiers d'élite. Ils se déplaçaient lentement au milieu des débris, retournant parfois une planche, déplaçant un fragment de mobilier, comme s'ils allaient découvrir un indice révélant la cause de l'explosion.

— On a prévenu ton consul par téléphone, poursuivit le policier. Ils s'occupent de te ramener chez toi. Mais leur représentant vient de Lyon. C'est assez loin. Tu devras passer la nuit à Saint-Pierre.

— Je sais qui a fait ça, dit Alex.

— Comment ?

— Je connais le responsable, dit Alex en tournant les yeux vers la maison dévastée. Allez en ville. Un yacht est amarré à la jetée. Je ne connais pas son nom mais vous ne pouvez pas le manquer. C'est un yacht immense et tout blanc. À bord il y a un homme. Il s'appelle Yassen Gregorovitch. Vous devez l'arrêter avant qu'il s'échappe.

Le jeune policier dévisageait Alex d'un air éberlué. Avait-il bien tout compris ?

— Comment ? Qu'est-ce que tu as dit ? Cet homme, Yassen...

— Yassen Gregorovitch.

— Tu le connais ?

— Oui.

— Qui est-ce ?

— Un tueur. Il est payé pour assassiner des gens. Je l'ai aperçu ce matin.

— Un instant ! l'arrêta le policier. Attends ici.

Il s'éloigna en direction des véhicules garés sur la route, sans doute à la recherche d'un gradé. Alex but une gorgée d'eau, puis se leva. Il n'avait aucune envie de rester assis sur cette chaise pliante à assister au spectacle comme un badaud. Il se dirigea vers les ruines de la maison. Malgré la brise du soir, l'odeur de bois brûlé imprégnait fortement l'air. Une feuille de papier en partie calcinée voleta sur les graviers, poussée par le vent. Alex se baissa instinctivement pour la ramasser. Et voici ce qu'il lut :

caviar au petit déjeuner. Et l'on raconte que la piscine de sa propriété de Wiltshire est une copie de celle d'Elvis Presley.

Mais Damian Cray est bien davantage que la pop star la plus riche de la plus célèbre du monde. C'est aussi un homme d'affaires, dont les hôtels, les chaînes de télévision et les usines de matériel informatique accroissent considérablement la fortune personnelle.

Des questions subsistent. Pourquoi Cray était-il à Paris au début de la semaine et pourquoi a-t-il arrangé une entrevue secrète avec

Le texte s'arrêtait là. Le reste était noirci et illisible.

Alex comprit soudain de quoi il s'agissait. Il tenait l'une des pages de l'article auquel Edward Pleasure travaillait depuis son arrivée. Un article sur le célèbre chanteur pop, Damian Cray...

— Excuse-moi, jeune homme...

Alex leva les yeux et s'aperçut que le jeune policier était revenu avec un de ses collègues plus âgé, qui avait une bouche tombante et une petite moustache. Alex sentit son cœur se serrer. Dès le premier regard, il sut à quel genre d'homme il avait à faire. Mielleux, suffisant, pas un faux pli à son uniforme, le visage figé dans une moue sceptique.

— Tu as quelque chose à nous raconter ? demanda-t-il dans un anglais plus fluide que celui de son jeune collègue.

Alex répéta ce qu'il avait déjà dit.

— Comment connais-tu cet homme ?

— Il a tué mon oncle.

— Qui était ton oncle ?

— Un agent secret. Il travaillait pour le MI6, précisa Alex. Je pense que j'étais peut-être la cible de la bombe. Je pense qu'il cherchait à m'éliminer...

Les deux policiers français tinrent un bref conciliabule en français puis se tournèrent de nouveau vers lui. Alex savait à quoi s'attendre. Le plus gradé des deux le toisait maintenant d'un regard empreint à la fois de gentillesse et d'inquiétude, mais où pointait aussi une certaine arrogance. « J'ai raison, tu as tort et rien ne me convaincra du contraire », proclamaient ses yeux. Il ressemblait à un mauvais professeur dans un mauvais collège, raturant une bonne réponse.

— Tu as subi un choc terrible, déclara le policier. L'explosion... nous savons déjà qu'elle a été causée par une fuite de gaz.

— Non..., soutint Alex en secouant la tête.

Le policier leva la main.

— Pourquoi un tueur s'attaquerait-il à une famille en vacances ? Mais je comprends. Tu es bouleversé. Probablement en état de choc. Tu ne sais plus ce que tu dis.

— Je vous en prie...

— Nous avons envoyé chercher quelqu'un de ton consulat et il sera bientôt là. Jusqu'à ce qu'il arrive, mieux vaudrait que tu ne te mêles de rien.

Alex garda la tête baissée et demanda d'une voix étouffée :

— Est-ce que je peux aller faire un tour ?

— Un tour ?

— Juste cinq minutes. J'ai besoin d'être un peu seul.

— Bien sûr. Ne va pas trop loin. Tu veux que quelqu'un t'accompagne ?

— Non. Ça ira.

Il s'éloigna aussitôt, évitant de croiser le regard des deux policiers. Ils le croyaient probablement honteux et confus, et cela l'arrangeait. Alex ne voulait pas leur laisser voir sa fureur, la colère noire qui se déversait en lui comme une rivière arctique. Ils ne l'avaient pas cru ! Ils l'avaient traité comme un gamin stupide !

À chaque pas, de nouvelles images s'imprimaient dans son esprit. La stupeur de Sabina lorsqu'elle avait découvert la maison en ruine. L'hélicoptère emportant Edward Pleasure à l'hôpital. Yassen Gregorovitch sur le pont du yacht filant sous le soleil couchant, son sale boulot exécuté. Et tout cela par sa faute ! Le pire était ce sentiment de culpabilité qui rongeait Alex. Désormais, quoi qu'il arrive, il ne resterait pas les bras croisés. Alex laissa sa rage le porter en avant. Il était temps de réagir.

Arrivé sur la route principale, il se retourna. Les policiers l'avaient oublié. Il jeta un dernier regard aux ruines calcinées qui avaient été la maison de ses vacances et la fureur l'envahit de nouveau. Il tourna les talons et se mit à courir.

Saint-Pierre était à un kilomètre et demi. En ce début de soirée, les rues grouillaient d'une joyeuse animation. Il y avait plus de monde que d'habitude et Alex se souvint qu'une corrida avait lieu le soir même. Les amateurs accouraient de partout pour y assister.

Le soleil plongeait déjà vers l'horizon mais la lumière du jour s'attardait encore, comme oubliée par mégarde. Les réverbères étaient allumés, jetant de criardes flaques orange sur les trottoirs couleur sable. Un vieux manège tournait, tourbillon flou de lampions et de musique stridente. Alex se fraya un passage au milieu de la foule sans s'arrêter. Tout à coup, il déboucha à la sortie du bourg, où les rues étaient plus paisibles, où la nuit et la grisaille avaient gagné du terrain.

Il fut étonné de voir le yacht. Il pensait que Yassen s'était empressé de filer. Pourtant le bateau était là, amarré à la jetée où il l'avait vu le matin même. Il y avait de cela une éternité. Les alentours étaient déserts. Tout la ville semblait avoir convergé vers l'arène. Soudain, une silhouette se dessina dans la pénombre de la jetée et Alex reconnut le chauve en costume blanc. Il fumait un cigare dont le bout incandescent jetait des lueurs rougeoyantes sur son visage.

Des lumières brillaient derrière les hublots du yacht. Yassen se trouvait-il derrière l'un d'eux ? Alex n'avait pas réfléchi à ce qu'il allait faire. Il savait seulement qu'il devait monter sur ce bateau et que rien ne pourrait l'en empêcher.

L'homme en costume blanc s'appelait Franco. Il était descendu sur la jetée parce que Yassen détestait l'odeur du cigare. Franco n'aimait pas Yassen. Plus grave : il en avait peur. En apprenant qu'Edward Pleasure avait seulement été blessé, le Russe n'avait pas dit un mot mais une lueur terrible avait brillé dans ses yeux. Pendant un instant il avait regardé Raoul, le matelot. Raoul, qui avait placé la bombe trop loin de la pièce où travaillait le journaliste. Raoul, qui était fautif. Franco savait que Yassen avait failli le tuer sur-le-champ. Peut-être n'était-ce que partie remise. Quel gâchis !

Franco entendit un caillou rouler sous une semelle. Il tourna la tête et aperçut un adolescent qui marchait dans sa direction. Le garçon était mince, bronzé, vêtu d'un short et d'un tee-shirt à l'effigie des Stone Age, un collier de perles de bois autour du cou. Ses cheveux clairs tombaient en mèches sur son front. Un touriste, probablement anglais, jugea Franco. Que venait-il faire ici ?

Alex se demandait jusqu'où il pourrait avancer avant d'éveiller les soupçons de l'homme. Si un adulte s'était ainsi approché du bateau, sa réaction aurait été différente. Voilà pourquoi l'âge d'Alex était si précieux pour le MI6. Les gens ne lui prêtaient attention que lorsqu'il était trop tard.

Ce fut précisément ce qui se produisit. Lorsque l'adolescent fut assez près, Franco regarda avec surprise les yeux sombres intenses dans ce visage trop sérieux pour un garçon de cet âge. Des yeux qui avaient vu trop de choses.

Arrivé au niveau de Franco, Alex lança aussitôt son attaque. Pivotant sur la pointe du pied gauche, il décocha un coup de pied droit. La surprise fut totale. Alex avait frappé Franco en plein dans l'estomac, mais il avait sous-estimé son adversaire. Au lieu de la chair molle et graisseuse qu'il s'était attendu à rencontrer sous le costume blanc, son talon avait heurté une ceinture de muscles. Le coup avait ébranlé Franco, mais ne l'avait pas mis à terre.

Franco lâcha son cigare et se jeta en avant. En même temps, sa main plongea dans sa poche de veste. Il y eut un léger déclic et dix-huit centimètres d'acier étincelant jaillirent de nulle part. Un couteau à cran d'arrêt. Se mouvant avec une vivacité surprenante, Franco se propulsa en avant tandis que sa main décrivait un arc. Alex entendit presque la lame fendre l'air. Il pivota et la lame manqua son visage d'un centimètre.

Alex ne disposait pas d'arme. Quant à Franco, il avait de toute évidence utilisé son couteau à de maintes occasions et le premier coup de pied d'Alex n'avait pas diminué ses forces. La partie était jouée d'avance. Alex chercha autour de lui quelque chose avec quoi se défendre. Hormis quelques vieux cageots, un seau et un filet de pêche, la jetée était vide. À présent Franco se déplaçait plus lentement. Il affrontait un adolescent. Rien de sérieux ! Le sale môme l'avait surpris avec sa première attaque, mais il n'aurait aucun mal à le mettre hors de combat.

Franco marmonna quelques mots en français. Plutôt brutaux et grossiers. Une seconde après, sa main jaillit de nouveau, de bas en haut, et son couteau aurait perforé la gorge d'Alex si celui-ci ne s'était jeté en arrière.

Alex poussa un grognement.

Il avait perdu l'équilibre et tomba lourdement sur le dos, les bras écartés. Franco sourit, découvrant deux dents en or, et avança, pressé d'en finir. Il comprit trop tard que c'était un piège. D'une main, Alex avait saisi le filet de pêche et, quand Franco se pencha, il se redressa d'un bond en ramenant son bras en avant de toutes ses forces. Le filet se déploya et recouvrit la tête, la main et le couteau de son adversaire.

Celui-ci poussa un juron, pivota pour se libérer, mais son mouvement ne fit que l'empêtrer davantage.

Alex savait qu'il devait agir vite. Franco se débattait encore avec le filet mais déjà il ouvrait la bouche pour appeler au secours. Ils étaient à côté du bateau. Si Yassen était alerté, Alex ne pourrait plus rien faire. Il lança son pied pour la seconde fois dans l'estomac de son adversaire. Celui-ci en eut le souffle coupé net. Son visage s'empourpra. Encore à moitié enchevêtré dans le filet, il se mit à exécuter une petite danse bizarre sur le bord de la jetée puis il perdit l'équilibre et s'écroula. Ses mains étant emprisonnées dans le filet, il ne put amortir sa chute et sa tête heurta violemment le ciment. Après quoi il resta inerte.

Alex se figea, haletant. Au loin, il entendit sonner des trompettes et éclater des applaudissements. La course de taureaux allait bientôt commencer. Mais d'abord, place à la fanfare. Alex regarda l'homme évanoui, conscient de l'avoir échappé belle. Le couteau avait disparu. Probablement tombé dans l'eau. Il hésita un instant à continuer. Puis il pensa à Sabina et à son père, et sa décision fut prise. Quelques secondes plus tard il était sur le pont du yacht.

Celui-ci s'appelait le *Fer de lance*. Alex nota machinalement le nom qui lui rappela un vague souvenir. Mais oui ! L'excursion scolaire au zoo de Londres. Le fer-de-lance était une espèce de serpent. Venimeuse, bien sûr.

Il se trouvait dans un espace ouvert, avec une barre à roue et des manettes, une porte sur un côté et, à l'arrière, des banquettes de cuir et une table basse. C'est ici qu'avait dû se tenir l'homme en costume blanc avant de descendre sur la jetée pour fumer son cigare. Alex remarqua un magazine froissé, une boîte de bière, un portable et un revolver.

Il reconnut le téléphone mobile de Yassen grâce à sa couleur brune particulière. Alex l'avait vu s'en servir dans le restaurant. L'appareil était allumé. Alex le prit. Il fit défiler le menu principal puis le journal des appels, et trouva ce qu'il cherchait : la liste des coups de fil reçus par Yassen le jour même. À 12 h 53, il avait eu une communication avec un numéro commençant par 44207. Le 44 était l'indicatif de l'Angleterre, le 207 un secteur de Londres. Il s'agissait de la communication qu'Alex avait surprise au restaurant. Il mémorisa rapidement les chiffres. Grâce à ce numéro, il espérait apprendre qui avait donné ses ordres à Yassen.

Ensuite il ramassa le revolver.

Enfin, il en tenait un ! À chacune de ses missions, le MI6, avait refusé de lui en confier un. On lui avait donné des gadgets : grenades paralysantes, fléchettes sédatives, bombes fumigènes, mais jamais une arme mortelle. Pour la première fois, Alex ressentit le pouvoir du revolver au creux de sa main. Il le soupesa. C'était un Grach MP-443, noir, avec une gueule courte et un magasin strié. Russe, bien sûr. Un nouveau modèle de l'armée. Alex laissa son index s'enrouler autour de la détente et esquissa un sourire amer. Cette fois, il était à égalité avec Yassen.

Il avança à pas de loup, franchit la porte et descendit une courte volée de marches qui menaient sous le pont, dans un couloir qui semblait desservir toutes les cabines. En haut, il avait vu un salon mais savait qu'il était désert. Il n'y avait aucune lumière derrière les fenêtres. Si Yassen se trouvait à bord, il était en bas. Tenant fermement le Grach, Alex avança à pas feutrés sur l'épaisse moquette.

Sous une des portes filtrait un rai de lumière jaune. Alex serra les dents et posa la main sur la poignée, espérant plus ou moins la trouver verrouillée. La poignée tourna et la porte s'ouvrit. Il entra.

La cabine était étonnamment spacieuse. Un long rectangle tapissé de moquette blanche, comportant du mobilier et des équipements modernes en bois sur deux côtés. Le troisième était occupé par un grand lit bas, une table et une lampe de chevet de part et d'autre. Un homme était allongé sur la couverture blanche, les yeux fermés, aussi immobile qu'un cadavre. Alex fit un pas. La pièce était silencieuse mais, au loin, on entendait jouer la fanfare de l'arène.

Yassen Gregorovitch ne fit pas un mouvement quand Alex approcha, le revolver pointé. Il atteignit le bord du lit. Jamais il ne s'était tenu aussi près de l'assassin de son oncle. Il enregistra tous les détails de son visage : les lèvres finement ciselées, les longs cils presque féminins. Le revolver n'était qu'à quelques centimètres de son front. C'est ici que tout pouvait s'achever. Il suffisait à Alex de presser la détente et tout serait terminé.

— Bonsoir, Alex.

On ne peut pas vraiment dire que Yassen s'était éveillé. Simplement, ses yeux, soudain, n'étaient plus fermés. L'expression de son visage ne changea pas. Il avait reconnu Alex en même temps qu'il prenait note de l'arme pointée sur lui.

Alex ne répondit pas. Un infime tremblement s'était emparé de la main qui tenait le revolver et il posa son autre main dessus pour l'affermir.

— Tu as mon revolver, constata Yassen.

Alex prit une profonde inspiration.

— Tu as l'intention de t'en servir ? poursuivit le Russe.

Toujours pas de réponse.

— Réfléchis bien, reprit Yassen. Tuer un homme n'a rien à voir avec ce qu'on voit à la télévision. Si tu appuies sur la détente, tu tires une vraie balle dans une vraie chair avec du vrai sang. Je ne sentirai rien. Je mourrai sur le coup. Mais toi tu vivras avec ce souvenir jusqu'à la fin de tes jours. Jamais tu ne l'oublieras.

Il se tut, laissant ses paroles planer un instant dans le silence. Puis il poursuivit :

— En es-tu capable, Alex ? Es-tu capable d'obliger ton index à t'obéir ? Es-tu capable de me tuer ?

Alex avait la rigidité d'une statue. Son être tout entier se concentrait sur le doigt qui effleurait la détente. C'était simple. Un mécanisme de ressort. La détente lèverait le chien puis le relâcherait. Le chien percuterait la balle, morceau de métal mortel long de dix-neuf millimètres, pour la propulser sur une courte trajectoire dans la tête de cet homme. Oui, il en était capable.

— Tu as peut-être oublié ce que je t'ai dit, un jour. Ce n'est pas ta vie, Alex. Cela ne te concerne pas.

Yassen était totalement détendu. Aucune émotion ne perçait dans sa voix. Il semblait mieux connaître Alex que celui-ci ne se connaissait lui-même. Alex essaya de détourner le regard, d'éviter les yeux calmes et bleus qui le sondaient presque avec pitié.

— Pourquoi, Yassen ? Pourquoi avoir fait sauter la maison ? Pourquoi ?

Un bref clignement de paupières, puis le Russe répondit :

— Parce qu'on m'a payé.

— Pour me tuer ?

— Non, Alex, dit Yassen d'un air vaguement amusé. Ça n'a rien à voir avec toi.

— Qui, alors ?

Trop tard.

Alex le vit d'abord dans les yeux de Yassen. Il comprit que le Russe avait distrait son attention pendant que la porte de la cabine s'ouvrait doucement derrière lui. Deux mains puissantes l'empoignèrent et une violente poussée l'écarta du lit. En même temps, il vit Yassen rouler sur le côté avec la rapidité d'un serpent. Vif comme un fer-de-lance. Le coup de feu partit mais Alex n'avait pas tiré volontairement et la balle s'enfonça dans le sol. Lui-même heurta brutalement la cloison et le revolver lui échappa. Il sentit un goût de sang dans sa bouche. Le bateau parut tanguer.

Dans le lointain, les clameurs de la foule répondirent en écho à la fanfare. La corrida venait de commencer.

3

MATADOR

Alex écoutait les trois hommes décider de son sort et tentait de saisir leur discussion. Ils parlaient français, mais deux d'entre eux avaient un accent marseillais incompréhensible et un vocabulaire qui ne s'apprend pas à l'école.

On l'avait traîné jusqu'au salon principal et jeté dans un grand fauteuil de cuir. Il savait maintenant comment il en était arrivé là. En revenant du village avec des provisions, le matelot Raoul avait trouvé Franco évanoui sur la jetée. Il s'était aussitôt rué à bord pour avertir Yassen et l'avait entendu parler à Alex. Il lui avait alors suffi d'entrer silencieusement dans la cabine pour bondir sur Alex.

Franco était assis dans un coin, le visage déformé

par la rage et la haine. De sa chute sur la jetée, il gardait un hématome violacé au front. Lorsqu'il prit la parole, ce fut comme s'il crachait du poison.

— Confie-moi ce sale morveux. Je le tuerai de mes propres mains avant de l'abandonner aux poissons.

— Comment nous a-t-il trouvés, à ton avis, Yassen ? demanda Raoul. Comment il nous connaît ?

— Inutile de perdre notre temps avec lui, grogna Franco. Laissez-moi en finir tout de suite.

Le Russe n'avait encore rien dit. Pourtant il était le chef, personne ne pouvait en douter. Il y avait quelque chose d'étrange dans le regard qu'il posait sur Alex. Même si ses yeux bleus et vides ne laissaient rien paraître, Alex sentait qu'il avait de l'estime pour lui. On aurait dit que le Russe avait espéré le revoir.

Yassen leva une main pour imposer le silence, puis il s'approcha d'Alex.

— Comment nous as-tu trouvés ?

Alex ne répondit pas. Une ombre d'agacement traversa le visage du Russe.

— Tu es en vie uniquement parce que je le permets. Alors, s'il te plaît, ne m'oblige pas à te reposer la question.

Alex haussa les épaules. Il n'avait rien à perdre. De toute façon, ils allaient probablement le tuer.

— Je suis en vacances ici. J'étais sur la plage, ce matin. Je vous ai vu sur le bateau.

— Tu n'es pas envoyé par le MI6 ?

— Non.

— Mais tu m'as suivi au restaurant.

— Oui.

— J'étais certain d'être épié, dit Yassen avec un léger sourire. Et tu séjournais dans cette maison ?

— J'étais invité par une amie, répondit Alex. (Soudain une idée le frappa.) Son père est journaliste. C'est lui que vous vouliez tuer ?

— Ça ne te regarde pas.

— Maintenant, si.

— La malchance a voulu que tu sois chez eux. Je te le répète, Alex. Ça n'avait rien de personnel.

— Ouais, c'est ça, dit Alex en regardant Yassen droit dans les yeux. Avec vous ça ne l'est jamais.

Yassen se tourna vers ses complices. Aussitôt Franco recommença à éructer des paroles venimeuses. Il s'était versé un whisky et l'avait avalé d'un trait, sans quitter Alex des yeux.

— Il ne sait rien et ne peut rien contre nous, dit Yassen en anglais par égard pour Alex.

— Qu'est-ce qu'on fait de lui ? demanda Raoul.

— On le liquide ! aboya Franco.

— Je ne tue pas les enfants, répliqua le Russe.

Ce qui était une demi-vérité, songea Alex. Car la bombe placée dans la maison pouvait tuer n'importe qui.

— Tu es devenu fou ! s'écria Franco. Tu ne peux

pas le laisser filer comme ça. Il est venu ici pour t'éliminer. Sans Raoul, il aurait réussi.

— Peut-être, admit Yassen en scrutant Alex une dernière fois pour prendre sa décision. Ce n'était pas sage de venir ici, petit Alex. Mes amis sont d'avis de te réduire au silence, et ils ont raison. Si je n'étais pas sûr que tu es là par hasard et si je pensais que tu sais quelque chose, tu serais déjà mort. Mais je suis un homme raisonnable. Tu ne m'as pas tué quand tu en avais l'occasion, aussi je vais te donner une chance.

Il glissa quelques mots rapides en français à Franco. Celui-ci parut d'abord renâcler, puis un sourire étira lentement son visage.

— Comment on va faire ? demanda Franco.

— Tu connais du monde. Tu as de l'influence. Il te suffit de payer les personnes bien placées.

— Le gosse va y laisser sa peau.

— Alors tu auras ce que tu voulais.

— Parfait ! s'exclama Franco. Je vais me régaler !

Yassen posa une main sur l'épaule d'Alex dans un geste presque amical.

— Tu as du courage, Alex. C'est ce que j'admire chez toi. Je vais te donner l'occasion de le prouver. (Il se tourna vers Franco et ajouta :) Emmène-le !

Vingt et une heures. La nuit était tombée sur Saint-Pierre, chargée d'un orage imminent. L'air était immobile, lourd, et d'épais nuages masquaient les étoiles.

Alex se tenait dans l'ombre d'une arcade en ciment, sur un sol sablonneux, totalement désemparé par ce qui lui arrivait. On l'avait obligé, sous la menace d'un revolver, à troquer ses vêtements de vacancier contre un uniforme bizarre que, sans la certitude du danger qui l'attendait, il aurait simplement trouvé ridicule.

D'abord la chemise et la mince cravate noire. Puis une veste boléro aux épaules rembourrées, et un pantalon qui lui moulait la taille et les cuisses mais s'arrêtait à mi-mollets. La veste et le pantalon étaient recouverts de broderies d'or et de milliers de perles minuscules. Quand Alex se déplaçait dans la lumière, il avait l'impression de se transformer en feu d'artifice miniature. Pour finir, on lui avait remis des chaussures noires, un curieux chapeau noir incurvé, et une cape d'un rouge étincelant qu'il tenait drapée sur son bras.

L'uniforme avait un nom. *Traje de luces*. L'habit de lumière que portaient les matadors dans l'arène. L'arène. Voici le lieu où Alex, sur les instructions de Yassen, devrait prouver son courage en combattant un taureau.

Pour l'instant, le Russe se tenait à côté de lui et guettait le brouhaha de la foule massée sur les gradins. Dans une corrida typique, avait-il expliqué, on tue six taureaux. Le quatrième combat est en général dévolu au matador le moins expérimenté, le *novillero*, un jeune homme dont c'est parfois la première apparition en public et qui n'a jamais tué de taureau. Or le programme de la soirée n'avait annoncé aucun *novillero*, du moins jusqu'à ce que Yassen propose un petit changement. De l'argent avait circulé. On avait habillé Alex. Cela paraissait insensé, mais le public allait l'adorer. Une fois dans l'arène, personne ne saurait qu'il n'avait jamais vu un taureau de près. Il serait une frêle silhouette au milieu de la piste illuminée. Sa tenue déguiserait la vérité : personne ne soupçonnerait qu'il n'avait que quatorze ans.

Il y eut une explosion de vivats et Alex supposa que le matador venait de tuer le troisième taureau.

— Pourquoi cette mascarade ? demanda-t-il à Yassen.

Le Russe haussa les épaules.

— Je te fais une faveur, Alex.

— C'est bizarre, je ne vois pas les choses sous cet angle.

— Franco voulait te liquider. J'ai eu du mal à l'en dissuader. J'ai fini par le convaincre en lui proposant un petit spectacle. Franco admire énormément ce sport. De cette façon, il pourra s'amuser et toi tu auras le choix.

— Le choix ?

— Entre une balle de revolver et les cornes du taureau.

— Dans un cas comme dans l'autre, je m'en sors mal.

— Oui, je le crains. Mais au moins tu auras une mort héroïque. Plus d'un millier de personnes vont te regarder. La dernière chose que tu entendras sur terre, ce seront leurs voix.

— Ce sera toujours plus agréable que d'entendre la vôtre, grommela Alex.

Et soudain, ce fut son tour.

Deux hommes en jean et chemise noire s'élancèrent pour ouvrir une porte. Ce fut alors comme si on écartait un rideau de bois sur une scène de théâtre pour dévoiler le plus fantastique des décors. D'abord, l'arène elle-même, un ovale de sable jaune pâle. Comme Yassen l'avait promis, plus d'un millier de spectateurs occupaient les gradins. Ils mangeaient, buvaient, plaisantaient, riaient, certains s'éventaient avec leur programme. Tous s'agitaient sur leur siège. Une fanfare jouait, composée de cinq musiciens en uniforme de soldats d'opérette. La clarté des projecteurs était éblouissante.

Vide, l'arène paraissait moderne, laide, morte. Mais remplie de spectateurs par une chaude soirée méditerranéenne, elle était parcourue de vibrations, d'énergie. Alex prit conscience que la cruauté des Romains avec leurs gladiateurs et leurs fauves avait sauté plusieurs siècles pour se réincarner ici.

Un tracteur se dirigea vers la porte à côté de

laquelle il se trouvait, traînant dans son sillage une masse noire informe... Quelques secondes plus tôt, elle avait été une créature fière et pleine de vie. Une douzaine de banderilles multicolores pendaient sur son dos. Alex aperçut une traînée rouge dans le sable. Il eut un haut-le-cœur et se demanda si c'était la peur de ce qui l'attendait ou bien le dégoût et la haine de ce qui venait de se passer. Quelques jours plus tôt, avec Sabina, ils s'étaient promis de ne jamais assister à une corrida de toute leur vie. Comment imaginer qu'il allait rompre sa promesse aussi vite ?

Yassen lui effleura le bras.

— Souviens-toi, Alex. Raoul, Franco et moi serons près de la *barrera,* juste sur le bord de l'arène. Si tu refuses le combat, si tu cherches à fuir, on t'abattra d'une balle et on disparaîtra dans la nuit.

Yassen souleva sa chemise pour montrer le Grach glissé dans sa ceinture.

— Mais si tu acceptes de combattre, nous partirons au bout de dix minutes. Et si, par miracle, tu es encore debout, tu seras libre de faire ce que tu voudras. Tu vois, je te laisse une chance.

Les trompettes sonnèrent de nouveau, annonçant la prochaine corrida. Alex sentit une légère poussée dans son dos et il avança, pris de vertige. Comment ceci était-il possible ? Quelqu'un allait sûrement s'apercevoir que sous le costume brodé se cachait un collégien anglais et non un véritable matador. Quelqu'un allait sûrement arrêter le combat.

Mais déjà la foule criait son enthousiasme. Quelques fleurs volèrent dans sa direction. Tout le monde était dupe et Franco avait distribué suffisamment d'argent pour que personne n'intervienne avant qu'il soit trop tard. Alex était contraint d'aller jusqu'au bout. Son cœur tambourinait. L'odeur de sang et de sueur animale lui soulevait le cœur. Jamais de sa vie il n'avait eu aussi peur.

Un homme vêtu d'un élégant costume de soie noire – boutons de nacre et carrure majestueuse – se leva dans la foule et agita un mouchoir blanc. Le président de l'arène donnait le signal pour le prochain combat. Les trompettes sonnèrent. Une autre porte s'ouvrit et le taureau bondit comme un obus tiré d'un canon. Alex en resta interdit. Cette formidable masse de muscles noire et luisante devait peser sept ou huit cents kilos. Si l'animal lui fonçait dessus, cela équivaudrait pour Alex à rouler sous un autobus. À cette différence qu'il serait d'abord empalé sur les deux cornes mortelles. Pour l'instant, le taureau l'ignorait. Enragé par les lumières et les cris de la foule, il tournait en cercles désordonnés, en lançant de violentes ruades.

Alex se demanda pourquoi on ne lui avait pas donné d'épée. Les matadors n'avaient-ils rien pour se défendre ? Il aperçut une banderille gisant dans le sable, probablement oubliée après le dernier combat. Longue d'environ un mètre, elle était dotée d'une poignée multicolore et d'un crochet court et barbelé. Les matadors plantaient des dizaines de ces banderilles dans le cou du taureau pour endommager ses muscles et l'affaiblir avant l'assaut final. Alex supposa qu'on lui en fournirait à mesure que le combat se déroulerait, mais il avait déjà pris sa décision. Quoi qu'il arrive, il s'efforcerait de ne pas blesser l'animal. Après tout, lui non plus n'avait pas choisi d'être là.

Fuir. Il devait fuir. On avait refermé les portes mais la palissade qui entourait l'arène, la *barrera*, n'était pas plus haute qu'Alex. Il pouvait courir et sauter par-dessus. Il jeta un coup d'œil derrière lui. Franco avait pris place au premier rang, une main cachée sous sa veste. Alex devinait sans peine ce qu'il tenait. Il repéra Yassen, à l'opposé, et Raoul sur la droite. À eux trois, ils couvraient toute l'arène.

Alex n'avait pas le choix. D'une manière ou d'une autre, il devrait combattre et survivre dix minutes. Peut-être seulement neuf, maintenant. Une éternité lui semblait s'être écoulée depuis qu'il avait posé le pied sur la piste.

La foule se tut. Plus d'un millier de paires d'yeux guettaient son premier mouvement.

C'est alors que le taureau le vit.

Soudain, il cessa de tourner en rond et marcha pesamment dans sa direction. Il s'arrêta à une vingtaine de mètres, la tête baissée, les cornes pointées vers lui. Alex comprit qu'il allait charger. À regret, il laissa la cape rouge glisser au ras du sol, songeant qu'il devait avoir l'air idiot dans ce costume, sans la moindre idée de ce qu'il fallait faire. Le plus surprenant était qu'on n'ait pas déjà arrêté le combat. Alex avait conscience que Yassen et ses deux acolytes épiaient chacun de ses gestes. Franco sauterait sur le moindre prétexte pour sortir son arme.

Silence. La chaleur de l'orage tout proche était pesante. Rien ne bougeait.

Le taureau chargea. Sa subite transformation stupéfia Alex. Statique et éloigné une seconde plus tôt, le voilà qui se ruait en avant comme si l'on avait actionné un interrupteur. Ses épaules massives se soulevaient, chacun de ses muscles était bandé, tendu vers la cible pétrifiée, désarmée, solitaire. L'animal se trouvait maintenant suffisamment près de lui pour qu'Alex voie ses yeux : noir, blanc et rouge. Injectés de sang et furieux.

Tout alla très vite. Le taureau arrivait presque sur Alex. Les cornes vicieuses plongeaient vers son ventre. L'odeur forte de l'animal le submergea. Alex fit un bond de côté en même temps qu'il levait la cape, imitant un mouvement qu'il avait sans doute vu à la télévision ou au cinéma. Il sentit véritablement le taureau le frôler et, dans ce contact fugitif, il perçut sa force et sa puissance phénoménales. La cape vola devant ses yeux en un éclair rouge. L'arène entière parut tournoyer. La foule se leva en hurlant. Le taureau l'avait dépassé et Alex était indemne.

Sans le savoir, il avait réalisé une imitation convenable de la véronique. En tauromachie, il s'agit de la première et de la plus simple des figures, mais elle donne au matador une information essentielle sur son adversaire : sa rapidité, sa force, sa corne de prédilection, etc. Cependant Alex n'avait appris que deux choses. La première était que les matadors sont bien plus courageux qu'il ne le pensait – maladivement courageux pour faire ça de leur propre gré ! La deuxième était qu'il aurait beaucoup de chance s'il survivait à un second assaut.

Le taureau s'était arrêté à l'extrémité de l'arène. Il secoua la tête et des filets de salive grise lui fouettèrent les deux côtés de la tête. Sur les gradins, les spectateurs continuaient d'applaudir. Alex aperçut Yassen parmi eux. Il était le seul à ne pas applaudir. L'air grave et sombre, Alex abaissa la cape pour la seconde fois. Il ignorait combien de minutes s'étaient écoulées. Il avait perdu la notion du temps.

La foule retint son souffle lorsque le taureau lança sa deuxième attaque. Il se déplaça plus vite encore que la première fois. Ses sabots martelaient le sable. Ses cornes étaient pointées droit sur Alex. Si elles le touchaient, il serait coupé en deux.

Au tout dernier moment, Alex fit un pas de côté,

répétant le même mouvement que la première fois. Mais le taureau s'y attendait. Malgré sa vitesse, qui l'empêchait de modifier sa trajectoire, il inclina la tête et Alex sentit une brûlure lui sabrer les côtes. En même temps, il fut soulevé de terre, effectua une cabriole et retomba lourdement. Sa chute déclencha une nouvelle explosion de clameurs dans les gradins. Alex s'attendait à ce que le taureau face demi-tour pour profiter de son avantage. Mais, par chance, l'animal ne l'avait pas vu tomber. Il avait poursuivi sa course jusqu'à l'autre extrémité de l'arène.

Alex se releva et baissa les yeux : sa veste était déchirée. Il y posa la main et la retira, couverte de sang écarlate. Il avait le souffle coupé et se sentait nauséeux. Tout le côté de son torse était en feu. Cependant la blessure ne semblait pas très profonde. Il en fut presque déçu. Si elle avait été plus grave, on aurait arrêté le combat.

Du coin de l'œil, il entrevit un mouvement. Yassen s'était levé et se dirigeait vers la sortie. Que fallait-il en déduire ? Que dix minutes s'étaient écoulées ? Ou que le Russe jugeait le spectacle terminé et trouvait inutile de rester pour la mise à mort ? Alex regarda de l'autre côté des gradins. Raoul aussi s'en allait. Mais Franco, lui, ne quittait pas son siège au premier rang, à dix mètres à peine. Il souriait. Alex comprit que Yassen l'avait trompé. Franco allait rester dans l'arène et, si par miracle Alex parvenait à échapper au taureau, il l'abattrait d'une balle.

Affaibli, Alex se pencha pour ramasser la cape. La corne du taureau y avait aussi laissé un accroc, et cela lui donna soudain une idée. Tous les éléments étaient en place : la cape, le taureau, la banderille abandonnée sur le sol, Franco.

Ignorant sa douleur, Alex se mit à courir. Des murmures parcoururent le public, puis des cris incrédules. Normalement, c'était le rôle du taureau d'attaquer le matador. Or, sous les yeux éberlués des spectateurs, l'inverse semblait se produire. L'animal lui-même fut pris au dépourvu. Il regarda Alex comme s'il avait oublié les règles du jeu ou décidé de tricher. Sans lui laisser le temps de réagir, Alex jeta la cape. Le poids de la courte poignée de bois cousue dans l'ourlet emporta le tissu, qui atterrit avec une précision parfaite sur les yeux de l'animal. Celui-ci secoua la tête pour s'en débarrasser mais une corne s'était prise dans l'accroc. Le taureau souffla furieusement, piétina rageusement le sable, mais la cape resta coincée.

Maintenant tout le monde hurlait. La moitié des spectateurs s'étaient levés et l'homme en costume noir – le président de l'arène – jetait des regards désespérés autour de lui. Alex courut ramasser la banderille et eut une grimace de dégoût devant l'horrible crochet, rouge du sang du précédent taureau. Il retourna la banderille et, dans le même mouvement, la lança.

Mais sa cible n'était pas le taureau. Franco s'était redressé et avait déjà plongé la main vers son arme. Trop tard. Par chance, ou par désespoir, Alex avait parfaitement ajusté son lancer. La banderille vint se planter dans l'épaule de Franco. Celui-ci poussa un cri. La pointe du crochet n'était pas assez longue pour le tuer mais l'acier barbelé maintint le crochet enfoncé. Impossible de le retirer. Une tache de sang s'élargit sur le complet blanc.

Le public braillait. Jamais personne n'avait rien vu de tel. Alex reprit sa course. Il s'aperçut que le taureau avait réussi à se libérer de la cape rouge et le cherchait déjà, décidé à prendre sa revanche.

Tu te vengeras un autre jour, pensa Alex. Je n'ai rien contre toi.

Il avait atteint la *barrera* et sauta pour se hisser par-dessus. Franco était trop hébété par la surprise et la douleur pour réagir. De plus il était encerclé de spectateurs venus lui porter secours. Il aurait été incapable de sortir son revolver et de tirer. L'arène était au bord de la panique. Le président gesticulait furieusement. La fanfare se mit à jouer, mais chaque musicien sur un tempo différent.

Alex bascula de l'autre côté de la palissade. Un des employés en jean et chemise noire se précipitait vers lui en criant. Alex l'ignora. Il toucha le sol et partit en courant.

À l'instant précis où Alex déboucha dehors, l'orage

éclata. La pluie se déversa du ciel comme une mer en furie. Les trottoirs furent très vite inondés et les caniveaux se transformèrent en rivières. Il n'y eut pas de tonnerre, juste une avalanche d'eau qui menaçait d'engloutir le monde.

Alex ne s'arrêta pas. En quelques secondes il fut trempé. L'eau ruisselait sur son visage et l'aveuglait. Tout en courant, il se défit de certains éléments de son costume de matador. D'abord le chapeau, puis la veste et la cravate, qu'il sema dans son sillage. Et avec eux leur souvenir.

La mer s'étendait sur sa gauche, noire et bouillonnante sous l'averse. Alex quitta la route pour continuer sur la plage – celle-là même où il se dorait au soleil avec Sabina avant que ce cauchemar ne commence. La digue et la jetée se trouvaient plus loin.

Il bifurqua vers la digue et escalada les gros rochers. Sa chemise et son pantalon, gorgés d'eau, lui collaient à la peau.

Le yacht de Yassen était parti.

Alex n'aurait pu le jurer, mais il crut discerner une forme floue disparaître dans la nuit et la pluie. Cela s'était joué à quelques secondes. Il s'arrêta, pantelant. Qu'avait-il espéré ? Si le *Fer de lance* avait encore été à quai, serait-il vraiment remonté à bord ? Non, bien sûr. Il avait déjà eu de la chance de survivre à la première tentative. En fait, il était arrivé juste à temps pour le voir prendre le large, et il n'avait rien appris de plus.

Non. Ce n'était pas tout à fait vrai.

Il avait tout de même recueilli un renseignement utile.

Alex demeura un moment immobile sous la pluie battante, puis il tourna les talons et revint en ville.

*

* *

Il y avait une cabine téléphonique derrière l'église. Sans argent sur lui, Alex dut se risquer à faire un appel en PCV. Il contacta l'opératrice et lui donna le numéro qu'il avait trouvé, mémorisé, sur le portable de Yassen. Il y eut un long silence avant que la communication soit établie. Le correspondant allait-il répondre ? Malgré l'heure de décalage entre la France et l'Angleterre, il était quand même tard.

La pluie avait diminué d'intensité et crépitait sur le toit de verre de la cabine. Alex patienta. Enfin la voix de l'opératrice se fit de nouveau entendre.

— Votre appel en PCV est accepté. Parlez...

Un autre silence, puis une voix, qui s'annonça succinctement.

— Damian Cray.

Alex resta muet.

La voix reprit :

— Allô ? Qui est à l'appareil ?

Alex frissonna. Peut-être était-ce le froid ? Peut-être la réaction à tout ce qui venait de se produire ? Il se sentait incapable de parler. Au bout de la ligne, il entendit la respiration de l'homme, puis un déclic, et la communication fut coupée.

4

VÉRITÉ ET CONSÉQUENCES

Londres accueillit Alex comme un vieil ami fidèle. Autobus rouges, taxis noirs, policiers en uniforme bleu, nuages gris. Les couleurs typiques de Londres. Alors qu'il descendait King's Road, la Camargue lui paraissait à des millions de kilomètres. Il ne se sentait pas seulement chez lui mais de retour dans le monde réel. Il avait encore mal au côté et le bandage lui tirait la peau. À part cela, Yassen et la corrida s'enfonçaient déjà dans le passé.

Il s'arrêta devant une librairie qui, à l'image de beaucoup d'autres, se signalait aux passants par une agréable odeur de café[1]. Il hésita un instant puis entra.

---

1. Dans les pays anglo-saxons, les grandes librairies comportent un salon de thé où l'on peut boire une tasse en lisant...

Il trouva très vite ce qu'il cherchait. Le rayonnage des biographies comptait trois ouvrages sur Damian Cray. Deux d'entre eux n'étaient pas vraiment des livres, plutôt des brochures sur papier glacé éditées par des maisons de disques pour promouvoir l'homme qui leur avait rapporté des millions. Le premier : *Damian Cray, en direct !* côtoyait *Dément Cray ! la vie et les folies de Damian.* Le même visage ornait les couvertures. Des cheveux noir corbeau très courts, une coupe de collégien. Un visage rond aux pommettes saillantes, des yeux verts, un petit nez placé juste au milieu, des lèvres épaisses et une dentition parfaite d'un blanc éclatant.

Le troisième ouvrage était plus récent. Le visage avait pris quelques rides, les yeux se cachaient derrière des lunettes aux verres bleus, et l'homme, vêtu d'un costume Versace, descendait d'une Rolls Royce blanche. Le titre suggérait un autre changement : *Sir Damian Cray – L'homme, sa musique, sa fortune.* Alex parcourut la première page mais la prose ampoulée le lassa très vite. La biographie semblait avoir été écrite par quelqu'un qui devait probablement lire le *Financial Times* pour se distraire.

Finalement, Alex n'en acheta aucun. Il voulait en savoir davantage sur Damian Cray mais doutait que ces livres lui en apprennent plus qu'il ne savait déjà. Notamment que le numéro de téléphone privé de la star figurait sur le carnet d'adresses d'un tueur à gages.

Il revint par Chelsea et tourna dans la jolie rue aux façades blanches où son oncle, Ian Rider, avait vécu. Alex partageait désormais la maison avec Jack Starbright, une Américaine qui, auparavant, avait été sa gouvernante et était devenue sa tutrice légale et meilleure amie. C'était pour l'aider qu'Alex avait consenti, la première fois, à travailler pour le MI6. On l'avait envoyé sous une fausse identité espionner Herod Sayle et ses ordinateurs Stormbreaker. En échange, Jack Starbright avait obtenu un visa l'autorisant à rester à Londres et à veiller sur Alex.

Jack l'attendait dans la cuisine. Il avait promis de rentrer vers une heure et elle avait préparé un déjeuner léger. Jack était une bonne cuisinière mais elle refusait de mitonner un plat qui prenait plus de dix minutes. Vingt-huit ans, mince, une épaisse chevelure rousse et un visage qui ne pouvait s'empêcher d'être enjoué, même lorsqu'elle était de mauvaise humeur.

— Tu as passé une bonne matinée ?

— Oui, répondit Alex en s'asseyant lentement, une main pressée contre son flanc.

Jack vit qu'il grimaçait mais ne dit rien.

— J'espère que tu as faim ?

— Qu'est-ce qu'on mange ?

— Porc sauté.

— Ça sent bon.

— C'est une recette chinoise. Du moins c'est ce qui est écrit sur la boîte. Verse-toi un verre de Coca, je vais te servir.

Alex essaya de manger : c'était savoureux mais il n'avait pas d'appétit. Jack ne fit aucune remarque quand elle le vit débarrasser son assiette à moitié pleine, mais, soudain, elle éclata.

— Écoute, Alex, tu ne peux pas continuer de te culpabiliser pour ce qui s'est passé en France.

Alex, qui s'apprêtait à sortir de la cuisine, revint à la table.

— Il est temps que toi et moi ayons une petite discussion à ce sujet, poursuivit Jack. En fait, il faut que nous parlions de beaucoup de choses ! (Elle repoussa sa propre assiette et attendit qu'Alex se fût rassis.) Bien. Il se trouve que ton oncle Ian, au lieu d'être directeur de banque comme il l'affirmait, était en réalité un espion. J'aurais préféré qu'il me le dise mais maintenant c'est trop tard, puisqu'il a été tué et m'a coincée ici pour veiller sur toi.

Jack s'empressa de lever la main et d'ajouter :

— Excuse-moi, ce n'est pas ce que je voulais dire... J'aime être ici. J'aime Londres. Et je t'aime. Mais toi, Alex, tu n'es pas un espion. Tu le sais bien. Même si Ian a eu l'idée saugrenue de t'entraîner à en devenir un. Tu t'es déjà absenté trois fois de l'école, et trois fois tu es revenu un peu plus amoché. Je ne veux même pas savoir ce que tu as fait. Mais je me suis fait un sang d'encre.

— Ce n'est pas moi qui ai décidé de...

— Justement, c'est là où je veux en venir : tu n'as rien à faire avec les espions, les assassins et les dingues qui veulent gouverner le monde. Tu as eu raison de quitter Saint-Pierre. Tu as fait ce qu'il fallait.

Alex secoua la tête.

— Non, j'aurais dû tenter quelque chose. N'importe quoi. Si j'avais réagi, jamais le père de Sabina n'aurait...

— Tu n'en sais rien, Alex. Même si tu avais prévenu la police, qu'aurait-elle pu faire ? Comment deviner qu'on avait posé une bombe ? Personne ne pouvait savoir qui était visé. Ça n'aurait rien changé. Et si tu veux mon avis, courir tout seul après ce Yassen était franchement... dangereux. Tu as de la chance d'être encore en vie.

Sur ce point, Jack avait certainement raison. L'image de l'arène, des cornes et des yeux injectés de sang du taureau lui revint brutalement en mémoire. Alex prit son verre et but une gorgée de Coca.

— Je peux encore faire quelque chose. Edward Pleasure écrivait un article sur Damian Cray. À propos d'un rendez-vous secret à Paris. Il s'agit peut-être d'une histoire de drogue.

Mais tout en formulant cette hypothèse, Alex savait qu'elle était fausse. Cray détestait la drogue. Il avait prêté son nom pour des campagnes d'affichage et de télévision contre la drogue. Dans son dernier album, *Lignes blanches*, il y avait quatre chansons antidrogue. Le chanteur en avait fait un combat personnel.

— Ou une affaire de sexe, ajouta-t-il sans conviction.

— Quoi que ce soit, tu auras du mal à le prouver, fit observer Jack. Le monde entier adore Damian Cray. Tu devrais peut-être en parler à Mme Jones.

Alex se sentit défaillir. Il détestait l'idée de retourner au MI6 rencontrer l'adjointe du directeur du Service des Opérations Spéciales, mais il savait que Jack avait raison. Au moins Mme Jones disposait-elle de tous les moyens pour enquêter.

— Oui, je pourrais aller la voir.

— Bien. Mais ne la laisse pas t'impliquer dans l'affaire. Si Damian Cray prépare un sale coup, c'est le problème du MI6. Pas le tien.

La sonnerie du téléphone interrompit Jack. Elle décrocha le combiné sans fil de la cuisine, écouta un instant puis tendit l'appareil à Alex.

— Pour toi. C'est Sabina.

*

* *

Ils se retrouvèrent à Piccadilly Circus et marchèrent

jusqu'à une cafétéria tout proche. Sabina portait un pantalon gris et un pull ample. Alex s'était attendu à la trouver changée après les récents événements, et en effet elle avait l'air plus jeune, moins sûre d'elle. Son bronzage s'était estompé et elle paraissait fatiguée.

— Papa va survivre, annonça-t-elle dès qu'ils furent attablés devant deux jus de fruits. Les médecins sont formels. Il est robuste et sportif. Mais... (sa voix se mit trembler) ça prendra du temps. Il est encore inconscient et très gravement brûlé. (Elle but une gorgée avant de poursuivre.) La police a conclu à une fuite de gaz. Tu te rends compte ? Maman veut porter plainte.

— Contre qui ?

— Les gens qui nous ont loué la maison. La compagnie du gaz. Le pays. Elle est furieuse.

Alex ne dit rien. Une fuite de gaz. C'était la version officielle de la police.

Sabina soupira.

— Maman dit que j'aurais dû venir te voir plus tôt. Que tu voulais sûrement avoir des nouvelles de papa.

— Ton père venait de Paris, n'est-ce pas ? (Le moment était mal choisi mais Alex avait besoin de savoir.) Il a parlé de l'article qu'il était en train d'écrire ?

Sabina parut surprise.

— Non. Il ne parlait jamais de son travail. Ni à maman ni à personne.

— Où était-il, à Paris ?

— Chez un ami. Un photographe.

— Tu connais son nom ?

— Marc Antonio. Pourquoi toutes ces questions sur mon père ? Que veux-tu savoir exactement ?

Alex se déroba.

— Où se trouve-t-il en ce moment ?

— Dans un hôpital, en France. Il est trop faible pour être transporté. Maman est restée auprès de lui. Je suis rentrée toute seule en avion.

Alex réfléchit un instant. Il n'était pas sûr que ce soit une bonne idée mais il ne pouvait garder le silence en sachant ce qu'il savait.

— Je crois que ton père devrait être protégé par la police.

— Comment ? s'exclama Sabina. Mais pourquoi ? Tu veux dire que... ce n'était pas une fuite de gaz ?

Alex ne répondit pas.

Sabina le dévisagea, puis sembla prendre une décision.

— Tu as posé beaucoup de questions. Maintenant à mon tour. Je ne sais pas ce qui se passe exactement, mais maman m'a dit que, après l'explosion, tu t'es enfui de Saint-Pierre.

— Comment l'a-t-elle appris ?

— Par la police. D'après eux, tu croyais que quelqu'un avait voulu tuer mon père... et tu disais connaître l'assassin. Ensuite tu as disparu. Ils t'ont cherché partout.

— Je suis allé à la gendarmerie de Saint-Pierre.

— Mais seulement vers minuit. Tu es arrivé complètement trempé, blessé et attifé de vêtements bizarres...

Les gendarmes avaient interrogé Alex pendant une heure. Un médecin lui avait mis quelques agrafes sur sa plaie et on lui avait donné des vêtements. L'interrogatoire n'avait cessé qu'avec l'arrivée d'un envoyé du consulat de Grande-Bretagne à Lyon. L'homme, assez âgé et efficace, semblait tout savoir sur Alex. Il l'avait conduit à l'aéroport de Montpellier, d'où il avait pris le premier vol pour Londres, le lendemain. Le fonctionnaire du consulat n'avait pas manifesté le moindre intérêt pour les récents événements. Son seul objectif était visiblement de faire sortir Alex de France au plus vite.

— Qu'as-tu fait, Alex ? demanda Sabina. Tu prétends que papa a besoin de protection. Tu es au courant de quelque chose ?

— Je ne peux rien te dire.

— Tu te fiches de moi ! Bien sûr que si tu peux me le dire !

— Non. Tu ne me croirais pas.

— Si tu ne parles pas, Alex Rider, je sors d'ici et plus jamais tu ne me reverras. Que sais-tu au sujet de mon père ?

Alex céda et lui raconta tout. Elle ne lui donnait pas le choix. Dans un sens, il en fut soulagé. Ce secret qu'il portait seul – à l'exception de Jack – depuis trop longtemps, l'étouffait.

Il commença par la mort de son oncle, son entrée au MI6, son entraînement et sa première rencontre avec Yassen Gregorovitch dans l'usine d'ordinateurs Stormbreaker en Cornouailles. Il décrivit, aussi brièvement que possible, comment on l'avait forcé ensuite, à deux reprises, à retravailler pour le service de renseignements britannique. Dans les Alpes françaises, puis sur une île des Caraïbes. Ensuite il expliqua ce qu'il avait ressenti en reconnaissant Yassen sur la plage de Saint-Pierre, comment il l'avait espionné dans le restaurant et pourquoi, finalement, il n'avait rien fait.

Il pensait avoir brossé un tableau rapide mais, en réalité, il parla pendant une demi-heure avant d'en arriver à son entrevue avec Yassen sur le *Fer de lance*. Pendant tout ce temps, il avait évité de regarder Sabina dans les yeux, mais lorsqu'il raconta l'épisode de la corrida, il releva la tête et croisa son regard. Sabina le fixait comme si elle le voyait pour la première fois. On aurait presque dit qu'elle le haïssait.

— Je t'avais prévenue que tu aurais du mal à me croire, conclut-il tristement.

— Alex...

— Je sais que tout ça paraît dingue. Mais c'est la

vérité. Je suis désolé pour ton père, désolé de n'avoir pas pu intervenir. Mais au moins je connais le responsable.

— Qui est-ce ?

— Damian Cray.

— La pop star ?

— Ton père écrivait un article sur lui. J'en ai trouvé un extrait dans les décombres de la maison. Et son numéro de téléphone était sur le mobile de Yassen.

— Tu veux dire que Damian Cray voulait tuer mon père ?

— Oui.

Il y eut un long silence. Trop long, de l'avis d'Alex. Enfin Sabina reprit la parole.

— Désolée, Alex. Jamais je n'ai entendu autant d'idioties de toute ma vie.

— Sabina, je t'ai dit...

— Je sais. Tu as dit que je ne te croirais pas. Mais ça ne prouve pas que ce soit vrai ! Comment peux-tu espérer que quelqu'un gobe une histoire pareille ? Pourquoi ne me racontes-tu pas la vérité ?

— *C'est* la vérité, Sabina.

Soudain, il sut ce qu'il lui restait à faire et il ajouta :

— Je peux le prouver.

Ils prirent le métro jusqu'à la station Liverpool Street et remontèrent la rue jusqu'à l'immeuble qui abritait la section des Opérations Spéciales du MI6.

Ils se retrouvèrent devant une de ces immenses portes noires faites pour impressionner les visiteurs. À côté, sur la façade de briques, une plaque de cuivre annonçait :

BANQUE ROYALE
& GÉNÉRALE
LONDRES

Sabina, qui l'avait lue, regarda Alex avec circonspection.

— Ne t'inquiète pas, la rassura-t-il. La Banque Royale et Générale n'existe pas. C'est juste une plaque sur la porte.

Ils entrèrent. Le hall était immense et anonyme, avec des plafonds hauts et un sol de marbre. Sur un côté, il y avait un grand canapé sur lequel Alex se souvenait s'être assis à sa première visite avant de monter dans le bureau de son oncle au quinzième étage. Il se dirigea droit vers le guichet de réception où se tenait assise une jeune femme, un micro fixé devant sa bouche, qui répondait aux appels téléphoniques. À côté d'elle se tenait un vigile en uniforme.

— Vous désirez ? demanda la jeune femme avec un sourire.

— J'aimerais voir Mme Jones, répondit Alex.

— Mme Jones ? Dans quel service travaille-t-elle ?

— Avec M. Blunt.

— Je suis désolée... (La réceptionniste se tourna vers le vigile et lui demanda :) Vous connaissez une Mme Jones ?

— Non. Seulement une Mme Johnson. C'est une caissière.

Alex les regarda l'un après l'autre.

— Vous savez très bien de qui je parle. Dites-lui simplement qu'Alex Rider désire la voir.

— Il n'y a aucune Mme Jones dans cette banque, le coupa la réceptionniste.

— Viens, Alex, dit Sabina.

Mais Alex se refusait à abandonner. Il se pencha par-dessus le guichet pour parler d'un ton plus confidentiel.

— Je sais que ce n'est pas une banque, mais la division des Opérations Spéciales du MI6. S'il vous plaît, voulez-vous prévenir...

— C'est une farce ou quoi ? intervint le vigile. Qu'est-ce que c'est que cette histoire de MI6 ?

— Alex, partons d'ici, le supplia Sabina.

— Non !

Alex ne comprenait pas ce qui se passait. D'ailleurs, que se passait-il ? Ce ne pouvait être qu'une erreur. Ces gens étaient nouveaux. Ou bien il fallait leur donner une sorte de mot de passe. Oui, bien sûr. Lors de ses précédentes visites, il était attendu ou conduit sous la contrainte. Cette fois, il venait à l'improviste. Voilà pourquoi on lui refusait l'entrée.

— Écoutez, insista Alex. Je comprends que vous ne laissiez pas passer n'importe qui. Mais je ne suis pas n'importe qui. Je m'appelle Alex Rider. Je travaille avec Mme Jones et M. Blunt. Prévenez-les que je suis ici, s'il vous plaît.

— Il n'y a *pas* de Mme Jones chez nous, répéta la réceptionniste.

— Et je ne connais pas non plus de M. Blunt, ajouta le garde.

— Alex, je t'en prie, dit Sabina, de plus en plus pressante et impatiente de partir.

— Ils mentent, Sabina. Tu vas voir.

Il lui prit la main pour l'entraîner vers l'ascenseur et appela la cabine.

— Stop ! cria le garde.

La réceptionniste appuya sur un bouton, sans doute pour demander de l'aide.

L'ascenseur ne venait pas.

Alex vit le garde approcher. Toujours pas d'ascenseur. Il regarda autour de lui et aperçut un couloir, fermé à son extrémité par des portes battantes. Peut-être menait-il à un escalier ou à une autre rangée d'ascenseurs ? Tirant Sabina derrière lui, Alex s'engagea dans le couloir. Les pas du garde se rapprochaient. Il accéléra l'allure et poussa les portes battantes.

Et s'arrêta net.

Il était dans un hall de banque. Immense, avec un plafond en dôme et des affiches sur les murs vantant les produits financiers de l'établissement : hypothèques, emprunts, plans d'épargne. Sept ou huit guichets vitrés s'alignaient sur un côté, derrière lesquels des caissiers encaissaient des chèques, tamponnaient des documents, tandis qu'une douzaine de clients faisaient sagement la queue. Deux conseillers de clientèle – des hommes jeunes en costume élégant – étaient assis derrière des bureaux dans une autre partie du hall. L'un d'eux discutait plans de retraite avec un couple de personnes âgées. Alex entendit le second répondre au téléphone.

— Allô, Banque Royale et Générale, agence de Liverpool Street. Adam, à l'appareil...

Une lumière clignota au-dessus du guichet quatre. Un client en costume rayé s'en approcha et la queue avança d'un pas.

Alex enregistra la scène d'un seul coup d'œil. Il se tourna vers Sabina. Tout un mélange d'expressions traversa son visage.

Le vigile les avait rejoints.

— Vous n'avez pas le droit d'entrer dans la banque par ici. C'est l'entrée du personnel. Maintenant je vous conseille de partir avant d'avoir de sérieux ennuis. Je ne plaisante pas ! Je ne tiens pas à appeler la police, mais c'est mon boulot.

— Nous partons, dit Sabina d'une voix froide et décidée.

Elle avait repris ses esprits.

— Mais Sab...

— Tout de suite.

— Vous devriez surveiller votre petit ami, lui conseilla le vigile. Il trouve peut-être ça drôle mais ça ne l'est pas.

Alex sortit. Ou, plus exactement, il se laissa entraîner par Sabina. Ils franchirent une porte à tambour et débouchèrent dans la rue. Alex était sidéré. Pourquoi n'avait-il jamais vu la banque auparavant ? Puis il comprit : l'immeuble était coincé entre deux rues, avec une façade avant et une façade arrière parfaitement distinctes. Et il était toujours entré par l'autre côté...

— Écoute, Sabina, je...

— Non ! Toi, écoute-moi. Je ne sais pas ce qui se passe dans ta tête. Peut-être est-ce parce que tu n'as pas de parents. Tu cherches à attirer l'attention sur toi en inventant toutes ces... histoires insensées. Mais écoute-toi, Alex Rider ! Tu es vraiment malade. Des collégiens espions, des assassins russes et tout le reste...

— Ça n'a rien à voir avec mes parents, coupa Alex, qui sentait la colère monter en lui.

— Peut-être, mais ç'a à voir avec *les miens*. Mon père a failli mourir dans un accident et...

— Ce n'était pas un accident, Sabina. Es-tu vraiment si stupide pour penser que j'ai tout inventé ?

— Stupide ? Tu me trouves stupide ?

— Non, je dis seulement que je nous croyais amis. Je pensais que tu me connaissais...

— Oui, moi aussi je croyais te connaître ! Mais je vois que j'avais tort. Je vais te dire ce qui est stupide. C'est de t'avoir écouté. D'être venue te voir. Et même de vouloir te connaître... Ça c'était le plus stupide de tout !

Elle tourna les talons et s'éloigna vers la station de métro. En quelques secondes elle se fondit dans la foule.

— Alex..., dit une voix derrière lui. Une voix qu'il ne connaissait que trop bien.

Mme Jones se tenait là, derrière lui, sur le trottoir. Elle avait tout vu et tout entendu.

— Laisse-la partir. Nous avons à parler, tous les deux.

5

SAINT OU CHANTEUR ?

Le bureau n'avait pas changé. Même mobilier moderne et banal, même vue, même personnage derrière le même bureau. Alan Blunt, le patron des Opérations Spéciales du MI6, restait une énigme pour Alex. Quelle genre de vie menait-il ? Comment s'était passé son départ pour le bureau, ce matin ? Avait-il quitté une jolie maison de banlieue, où une épouse souriante et deux enfants l'avaient escorté sur le pas de la porte ? Avait-il pris le métro ? Sa famille connaissait-elle la vérité à son sujet ? Avait-il avoué qu'il n'était pas banquier et que, dans le luxueux attaché-case en cuir offert pour son anniversaire, il transportait des dossiers et des documents qui empestaient la mort ?

Alex essaya d'imaginer l'adolescent derrière l'homme en costume gris. Un jour, Blunt avait eu son âge. Il avait été au collège, avait transpiré sur des examens, joué au football, goûté sa première cigarette et détesté les ennuyeux dimanches. Cependant il ne subsistait aucune trace d'enfance dans ses yeux gris et neutres, ses cheveux incolores, son teint marbré, sa peau tirée. Quand était-ce arrivé ? Qu'est-ce qui avait fait de lui un serviteur de l'État, un maître espion, un adulte sans émotions apparentes ni remords ?

La même chose arriverait-elle un jour à Alex ? Était-ce l'avenir que lui préparait le MI6 ? D'abord ils avaient fait de lui un espion, ensuite ils en feraient un de leurs clones. Peut-être un bureau l'attendait-il déjà, avec son nom sur la porte. Malgré les fenêtres fermées et la chaleur qui régnait dans la pièce, Alex frissonna. Il avait eu tort de venir ici avec Sabina. L'immeuble de Liverpool Street était nocif. Un jour ou l'autre, il détruirait Alex, s'il ne gardait pas ses distances.

— Nous ne pouvions pas te permettre d'amener cette fille ici, Alex, commença Blunt. Tu sais bien que tu ne peux pas te vanter devant tes amis chaque fois que...

— Je ne me vantais pas, le coupa Alex. Son père a failli être tué par une bombe dans le sud de la France.

— Oui, nous sommes au courant de l'incident de Saint-Pierre, admit Blunt à voix basse.

— Savez-vous aussi que le responsable de l'attentat est Yassen Gregorovitch ?

Blunt poussa un soupir d'agacement.

— Cela ne change rien, Alex. Ce ne sont pas tes affaires. Et encore moins les nôtres !

Alex lui jeta un regard incrédule.

— Le père de Sabina est journaliste. Il écrivait un article sur Damian Cray. Si Cray voulait l'éliminer, c'est qu'il y a une raison. Et vous osez me dire que ça ne vous concerne pas ?

Blunt leva la main pour lui imposer le silence. Comme toujours, ses yeux ne laissaient rien transparaître. Alex songea que si cet homme venait à mourir subitement, là, derrière son bureau, personne ne remarquerait le moindre changement dans son attitude.

— J'ai reçu le rapport de la police de Montpellier et celui de notre consulat à Lyon, dit Blunt. C'est la procédure normale lorsqu'un des nôtres est concerné.

— Je ne suis pas un des vôtres, marmonna Alex.

— Je suis désolé que le père de ta... ton amie ait été blessé. Autant que tu saches la vérité. La police française non plus ne croit pas à une fuite de gaz. Tu avais raison.

— C'est ce que je m'acharne à vous expliquer.

— Il se trouve qu'un groupuscule terroriste local a revendiqué l'attentat. Le CST.

— Le CST ? sursauta Alex. Qu'est-ce que c'est ?

— Une nouvelle organisation, dit Mme Jones. CST signifie Camargue Sans Touristes. Ce sont des nationalistes qui veulent empêcher que toutes les maisons camarguaises soient vendues aux étrangers.

— Ça n'a rien à voir avec le CST, insista Alex. C'était Yassen Gregorovitch. Je l'ai vu, je lui ai parlé et il l'a admis. Il m'a avoué que la véritable cible était Edward Pleasure. Pourquoi ne voulez-vous pas m'écouter ? C'est à cause de l'article sur lequel travaillait Edward Pleasure. Une histoire de rendez-vous à Paris. Damian Cray voulait l'éliminer.

Il y eut une courte pause. Mme Jones jeta un coup d'œil à son patron comme pour lui demander la permission de parler. Il hocha imperceptiblement la tête.

— Yassen a-t-il mentionné Damian Cray ?

— Non, admit Alex. Mais j'ai trouvé son numéro de téléphone privé sur le mobile de Yassen. J'ai appelé ce numéro et j'ai entendu sa voix.

— Tu ne peux pas affirmer qu'il s'agissait vraiment de Damian Cray.

— C'est le nom sous lequel il s'est présenté.

— Tout ceci est absurde, coupa Blunt sèchement.

Sa colère surprit Alex. C'était la première fois que cet homme manifestait une émotion. Sans doute personne n'osait-il contredire le patron des Opérations Spéciales. En tout cas pas ouvertement.

— Pourquoi est-ce absurde ?

— Parce que tu parles d'un des artistes les plus

admirés et les plus respectés de ce pays. Un homme qui a collecté des millions de livres pour des œuvres charitables. Parce que tu parles de Damian Cray !

Blunt se laissa retomber contre son dossier. Pendant un instant il parut indécis, puis il hocha brièvement la tête et ajouta :

— D'accord. Puisque tu nous as été utile par le passé et que je veux éclaircir cette affaire une bonne fois pour toutes, je vais te dire tout ce que nous savons sur Cray.

— Nous possédons un dossier très complet sur lui, précisa Mme Jones.

— Pourquoi ?

— Parce que c'est l'usage pour toutes les personnalités.

— Ah ! Je vous écoute.

Blunt hocha de nouveau la tête pour céder la parole à Mme Jones. Elle semblait connaître tous les faits par cœur. Soit elle avait lu le dossier récemment, soit – ce qui était plus probable – elle avait une mémoire colossale.

— Damian Cray est né dans un quartier du nord de Londres, le 5 octobre 1950. Ce n'est d'ailleurs pas son véritable nom. Il s'appelle Harold Eric Lunt. Son père, Sir Arthur Lunt, a bâti sa fortune en construisant des parkings. Enfant, Harold avait une voix remarquable. À l'âge de onze ans, on l'envoya à l'Académie royale de musique de Londres. Là-bas il eut comme camarade un autre garçon qui devint célèbre. Elton John. Mais lorsqu'il eut treize ans, un drame frappa Harold. Ses parents périrent dans un bizarre accident de voiture.

— Pourquoi bizarre ?

— La voiture tomba sur eux. Elle bascula du dernier étage d'un de leurs parkings. Comme tu peux l'imaginer, Harold en fut très perturbé. Il quitta l'Académie royale de musique et voyagea à travers le monde. Il changea de nom, se tourna pendant un temps vers le bouddhisme, puis devint végétarien. Encore aujourd'hui il ne mange pas de viande. Les tickets de ses concerts sont imprimés sur du papier recyclé. Il a des principes stricts et s'y conforme.

— Bref, il revint en Angleterre dans les années soixante-dix et fonda un groupe de musiciens. Banco ! Le succès fut immédiat. Tu connais sans doute le reste de l'histoire, Alex. À la fin des années soixante-dix, le groupe s'est séparé et Cray a entamé une carrière personnelle qui l'a propulsé vers de nouveaux sommets. Son premier album solo, *Firelight*, a été sacré disque de platine. Depuis, Cray figure toujours au hit parade, tant en Angleterre qu'aux États-Unis. Il a aussi remporté plusieurs prix pour ses chansons. En 1986, il s'est rendu en Afrique et a décidé de venir en aide à la population. Il a donné un concert au stade de Wembley et toute la recette a été versée à une organisation humanitaire. Cray a baptisé ce concert : *La musique attaque*. Un immense succès. À Noël dernier, il a sorti un *single* : *Quelque chose pour les enfants*. Le disque s'est vendu à quatre millions d'exemplaires, et tous les bénéfices sont allés à des œuvres.

— Ce n'est pas tout. Depuis le succès de *La musique attaque,* Cray ne cesse de mener des campagnes sur les problèmes concernant la planète. La sauvegarde des forêts tropicales, la protection de la couche d'ozone, la dette du tiers monde. Il a fondé des centres de réinsertion pour secourir les jeunes drogués, et il a bataillé pendant deux ans pour obtenir la fermeture d'un laboratoire qui se livrait à des expérimentations sur des animaux.

— En 1989, il a offert un spectacle à Belfast, et beaucoup considèrent que ce concert gratuit a contribué à faire avancer le processus de paix en Irlande du Nord. Un an plus tard, il s'est rendu deux fois de suite à Buckingham Palace. Le jeudi, pour jouer un solo pour l'anniversaire de la princesse Diana ; le vendredi, pour recevoir le titre de chevalier des mains de la reine.

— L'année dernière, il a fait la couverture du magazine *Time*. « L'Homme de l'année. Saint ou chanteur ? » Voilà pourquoi tes accusations sont ridicules, Alex. Le monde entier sait que Damian Cray est ce qui se rapproche le plus d'un saint en chair et en os.

— Pourtant, c'était sa voix au téléphone, s'entêta Alex.

— Tu as entendu quelqu'un donner son nom. Tu ne peux affirmer que c'était lui.

— Franchement, je ne comprends pas ! s'emporta Alex, désarçonné. D'accord, tout le monde aime Damian Cray. Je sais qu'il est célèbre. Mais s'il y a une possibilité qu'il soit impliqué dans la tentative d'assassinat d'Edward Pleasure, pourquoi n'enquêtez-vous pas au moins sur lui ?

— Parce ce que nous ne pouvons pas, intervint Blunt, d'une voix atone et grave. (Il s'éclaircit la gorge et poursuivit.) Damian Cray est milliardaire. Il possède un gigantesque appartement en terrasse sur la Tamise, et une propriété dans le Wiltshire, près de Bath.

— Et alors ?

— Les gens riches ont des relations et les gens extrêmement riches ont d'excellentes relations. Depuis les années quatre-vingt-dix, Cray a investi dans un grand nombre d'entreprises. Il s'est offert une chaîne de télévision et produit des émissions qui sont diffusées dans le monde entier. Ensuite, il a acheté des hôtels et finalement il s'est intéressé aux jeux vidéo. Il est sur le point de lancer une nouvelle console de jeu baptisée « Gameslayer », autrement dit Jeu de tueur, qui va paraît-il reléguer dans les oubliettes la Playstation 2, GameCube et je ne sais quoi d'autre.

— Je ne comprends toujours pas...

— Cray emploie des milliers de personnes, Alex. C'est un homme très influent. Pour la petite histoire sache qu'il a versé un million de livres au parti qui est actuellement au gouvernement avant les dernières élections. Tu comprends maintenant ? Si l'on découvre que nous enquêtons sur lui, et il suffit d'une simple rumeur, nous risquons un scandale épouvantable. Le Premier ministre ne nous aime pas. Il déteste tout ce qu'il ne contrôle pas. Il pourrait se servir d'une attaque contre Damian Cray comme prétexte pour nous obliger à fermer boutique.

— Cray est passé à la télévision aujourd'hui même, dit Mme Jones en prenant une télécommande. Regarde ça et dis-moi ce que tu en penses.

Le téléviseur fixé dans un angle de la pièce s'alluma et Mme Jones lança l'enregistrement du journal de midi, exercice auquel elle se livrait probablement chaque jour. Elle fit défiler les images en avance rapide jusqu'à la séquence qui concernait Damian Cray.

Le chanteur apparut, coiffé avec soin, vêtu d'un costume sombre, avec une chemise blanche et une cravate de soie mauve. Il se trouvait devant l'ambassade américaine à Grosvenor Square.

Mme Jones augmenta le volume sonore.

— *... l'ancien chanteur de pop, devenu un infatigable militant de causes politiques et de la défense de l'environnement, Damian Cray. Il était hier à Londres* *pour rencontrer le président des États-Unis qui vient d'arriver en Grande-Bretagne pour y passer quelques jours de vacances.*

On voyait une image du jet présidentiel se posant sur l'aéroport de Heathrow, puis le président apparaissant à la porte, souriant et agitant la main.

— *Le président est arrivé à l'aéroport de Heathrow à bord de Air Force One. Il doit déjeuner avec le Premier ministre à Downing Street aujourd'hui...*

On voyait ensuite le président serrant la main de Damian Cray. Une poignée de main prolongée pour le bénéfice des photographes dont les flashs crépitaient autour d'eux. Cray avait emprisonné la main du président américain entre les siennes et semblait ne plus vouloir la lâcher. Il lui glissa quelques mots et le président éclata de rire.

— *... mais il a d'abord retrouvé Damian Cray pour une entrevue privée à l'ambassade américaine. Damian Cray est un porte-parole de Greenpeace et il a conduit le mouvement de protestation contre les forages de pétrole sur les territoires sauvages d'Alaska, dont on craint les dommages pour l'environnement. Bien qu'il n'ait fait aucune promesse, le président a accepté d'étudier le problème avec Greenpeace...*

Mme Jones éteignit le téléviseur.

— Tu vois ? L'homme le plus puissant de la planète interrompt ses vacances pour rencontrer Damian Cray. Et il le reçoit avant même de voir le Premier ministre ! Ça te donne une idée de l'importance du personnage. Alors explique-moi pour quelle raison un tel homme voudrait poser une bombe dans une maison et risquer de tuer une famille entière !

— C'est ce que je veux que vous découvriez.

Blunt fit la moue.

— Je préfère attendre les résultats de la police française. Ils enquêtent sur le CST. Voyons ce qu'ils vont apprendre.

— Donc, vous n'allez rien faire !

— Je croyais avoir été clair, Alex.

— Très bien.

Alex se leva. Il n'essaya même pas de masquer sa colère.

— Vous m'avez fait passer pour un imbécile devant Sabina. À cause de vous, j'ai perdu ma meilleure amie. Vous êtes vraiment incroyables. Quand vous avez besoin de moi, vous venez me chercher au collège et vous m'expédiez à l'autre bout du monde. Mais quand j'ai besoin de vous, vous feignez de ne même pas exister et vous me laissez tomber...

— Tu es trop susceptible, intervint Blunt.

— Non. Mais je vais vous dire une chose. Si vous n'enquêtez pas sur Cray, moi je le ferai. Il est peut-être le Père Noël doublé de Jeanne d'Arc, mais c'est sa voix que j'ai entendue au téléphone et je sais qu'il est impliqué d'une manière ou d'une autre dans ce qui s'est passé en Camargue. Je vous en apporterai la preuve.

Alex tourna les talons et quitta la pièce sans attendre leur réaction.

Après son départ, il y eut un long silence.

Blunt prit un stylo et griffonna quelques notes sur une feuille de papier. Puis il regarda Mme Jones.

— Alors ?

— Nous devrions peut-être réexaminer nos dossiers, suggéra son adjointe. Après tout, Herod Sayle se prétendait un ami de l'Angleterre[1] et si Alex n'avait pas été là...

— Faites comme vous jugerez bon, coupa Blunt.

Il traça un cercle autour des derniers mots qu'il venait d'inscrire. « Yassen Gregorovitch », lut Mme Jones par-dessus son épaule.

— C'est quand même curieux qu'Alex soit tombé sur Yassen Gregorovitch une deuxième fois, marmonna Blunt.

— Et plus curieux encore que Yassen ne l'ait pas tué quand il en avait l'occasion.

— Tout bien considéré, je ne dirais pas cela.

— Oui. Nous devrions peut-être informer Alex à propos de Yassen.

— Il n'en est pas question, trancha Blunt en froissant la feuille de papier. Moins Alex en saura sur Gregorovitch, mieux ça vaudra. J'espère seulement qu'ils ne se retrouveront pas de nouveau face à face.

Il jeta la boule de papier froissé dans la poubelle

---

1. Allusion à la première mission d'Alex, dans *Stormbreaker*.

sous son bureau. À la fin de la journée, tout son contenu serait incinéré.

— Restons-en là.

Jack était inquiète.

Alex était rentré de Liverpool Street d'une humeur massacrante. C'est à peine s'il avait desserré les dents. Il était venu s'asseoir dans le salon où elle bouquinait ; à force d'insister, Jack avait fini par apprendre sa dispute avec Sabina. Plus tard, dans l'après-midi, elle avait réussi à lui arracher un récit complet.

— Quels imbéciles ! s'exclama Alex. Je sais qu'ils se trompent mais ils refusent de m'écouter sous prétexte qu'ils sont plus vieux que moi.

— Je te le répète depuis le début, Alex. Tu n'as rien à faire avec ces gens-là.

— C'est terminé. J'en ai fini avec eux. Ils se fichent de moi.

Au même instant la sonnette de l'entrée retentit.

— J'y vais, dit Alex.

Une camionnette blanche venait de se garer devant la maison. Deux hommes ouvrirent le hayon arrière et en sortirent un vélo tout neuf. Alex vint y jeter un coup d'œil. C'était un Cannondale Bad Boy, un VTT adapté pour la ville avec un cadre en aluminium léger et des roues étroites. Couleur argent, le VTT possédait tous les accessoires dont on pouvait rêver : lumières Digital Evolution, mini-pompe Blackburn.

Le haut de gamme dernier cri. Seule la sonnette fixée sur le guidon semblait démodée et incongrue. Alex caressa la selle en cuir, avec son motif celtique, puis le cadre. Un vrai bijou. Pourtant il n'y avait aucune marque. L'engin avait été fabriqué sur mesure et devait coûter une petite fortune.

L'un des deux hommes s'approcha.

— Alex Rider ?

— Oui. Je pense que vous devez faire erreur. Je n'ai pas commandé de vélo.

— C'est un cadeau. Tenez...

Il lui tendit une épaisse enveloppe.

— Qu'est-ce que c'est ? demanda Jack qui venait d'apparaître derrière lui.

— Quelqu'un m'offre un vélo.

Alex ouvrit l'enveloppe, qui contenait une brochure et une lettre.

Cher Alex,

Je vais sûrement me faire sonner les cloches, mais je n'aime pas te savoir dans la nature sans soutien. J'ai fabriqué ce vélo pour toi et je crois judicieux de te le donner dès maintenant. J'espère qu'il te sera utile.

Prends soin de toi, petit. Je n'aimerais pas qu'il t'arrive malheur.

Amitiés,

Smithers

P.-S. : Cette lettre s'autodétruira dix secondes après avoir été au contact de l'air. Je te conseille donc de la lire rapidement !

Alex avait à peine lu la dernière ligne que les mots tracés sur la page commencèrent à s'effacer. Puis le papier lui-même s'effrita et se transforma en cendres blanches. Alex ouvrit ses mains et les particules s'envolèrent dans la brise. Pendant ce temps, les deux livreurs avaient regagné leur véhicule et démarré. Alex regarda le VTT puis feuilleta les premières pages du manuel d'utilisation.

POMPE ÉCRAN DE FUMÉE
PHARE FUSÉE ÉCLAIRANTE
GUIDON LANCE-MISSILES
MAILLOT DE CYCLISTE PARE-BALLES
PINCES MAGNÉTIQUES

— Qui est Smithers ? demanda Jack.

— J'avais tort, dit Alex. Je croyais n'avoir aucun ami au MI6, mais apparemment j'en ai un.

Il rentra le vélo dans la maison. Jack sourit et referma la porte.

6

LE DÔME DES LOISIRS

C'est seulement dans la froide lumière matinale qu'Alex commença à entrevoir l'impossibilité de la tâche qu'il s'était fixée. Comment enquêter sur une personnalité publique telle que Cray ? Blunt avait mentionné ses deux résidences de Londres et du Wiltshire, sans préciser les adresses. D'ailleurs Alex ne savait même pas si Cray se trouvait encore en Angleterre.

Toutefois les nouvelles du matin allaient lui offrir un point de part pour ses investigations.

Quand il entra dans la cuisine, Jack lisait le journal en sirotant sa deuxième tasse de café. Elle jeta un coup d'œil à Alex et glissa le journal vers lui.

— Tiens, je crois que tu vas avaler tes corn flakes de travers.

Sur la deuxième page, Damian Cray regardait fixement Alex. Sous la photo figurait un gros titre :

Damian Cray lance le Gameslayer à 100 £

C'est décidément l'événement londonien. Aujourd'hui, les amateurs de jeux vidéo vont découvrir le Gameslayer tant attendu, fabriqué par Cray Software Technology à Amsterdam. La conception du logiciel a, paraît-il, coûté plus de cent millions de livres. La console de jeux dernier cri sera présentée ce soir par Sir Damian Cray en personne, devant un public de journalistes, d'amis, de célébrités et d'experts.

Rien n'a été négligé pour assurer ce lancement, qui démarrera à treize heures autour d'un somptueux buffet à l'intérieur du Dôme des Loisirs que Damian Cray a fait construire dans Hyde Park. C'est la première fois qu'un parc royal sert pour une entreprise commerciale, ce qui n'a pas manqué de soulever de vives critiques. Mais Damian Cray n'est pas un homme d'affaires ordinaire. Il a déjà annoncé que 20 % des bénéfices du Gameslayer iront à des œuvres caritatives s'occupant des enfants handicapés du Royaume-Uni. Hier, Cray a rencontré le président américain pour parler des forages de pétrole en Alaska. On dit que la reine elle-même a approuvé la construction du Dôme des Loisirs dont les matériaux (aluminium et PTFE[1]) sont les mêmes que ceux du Dôme du Millénaire[2]. Son architecture futuriste constituera sans aucun doute un nouveau choc pour les Londoniens.

— Nous devons y aller, décida Alex.

— Tu veux tes œufs à la coque ou brouillés ?

— Jack...

— Alex, c'est une réception sur invitation uniquement. Comment allons-nous entrer ?

— Je trouverai un moyen.

— Tu es vraiment sûr de toi ? demanda Jack, l'air sceptique.

— Sûr et certain. Je sais que Damian Cray est dans le coup. Tout le monde est à genoux devant lui d'accord. Mais il y a dans cet article un détail que personne n'a probablement remarqué.

Alex replia le journal et le rendit à Alex.

— Le pseudo-groupe terroriste qui a revendiqué l'attentat à la bombe en Camargue s'appelle le CST. Camargue Sans Touristes.

— Je sais.

— Et le nom de l'entreprise qui a conçu le nouveau jeu vidéo est la Cray Software Technology.

— Et alors ?

---

1. Fibre de Polytétrafluoroéthylène.
2. Millenium Dome : construction futuriste réalisée pour célébrer le nouveau millénaire, située sur le point zéro du méridien de Greenwich.

— Ce n'est peut-être qu'une nouvelle coïncidence mais le sigle est identique. CST.

— D'accord, acquiesça Jack. Allons-y. Mais comment entrerons-nous ?

Ils prirent un bus pour se rendre à Knightsbridge et traversèrent Hyde Park. Avant même d'avoir franchi les grilles du parc, Alex mesura les sommes colossales investies dans le lancement du logiciel. Des centaines d'invités venus en taxi ou en limousine affluaient sur les trottoirs et s'agglutinaient en une foule compacte qui semblait recouvrir chaque centimètre de pelouse. Des policiers à pied et à cheval montaient la garde à chaque croisement pour indiquer la direction et canaliser les visiteurs. Alex s'étonna que les chevaux puissent rester si calmes au milieu d'un tel chaos.

Puis ils découvrirent le Dôme des Loisirs lui-même. On aurait dit qu'un fabuleux vaisseau spatial s'était posé au milieu du lac, au centre de Hyde Park. Il semblait flotter à la surface de l'eau, nacelle noire entourée d'une structure en aluminium étincelant, dont les tiges argentées s'entrecroisaient en un motif éblouissant. Des projecteurs bleus et rouges pivotaient et oscillaient, et leurs faisceaux brillaient même en plein jour. Une passerelle de fer reliait la berge à l'entrée, mais une bonne douzaine de gardes en barraient l'accès. Nul n'était autorisé à franchir la passerelle sans exhiber un carton d'invitation. Et c'était l'unique voie d'entrée.

Des haut-parleurs cachés diffusaient de la musique : la chanson *Lignes blanches*, extraite du dernier album de Cray. Alex longea la rive du lac. Des cris lui parvinrent et, même dans le soleil voilé de l'après-midi, il fut presque aveuglé par une centaine de flashs de photographes qui explosèrent tous en même temps. Le maire de la ville venait d'arriver et saluait la meute des journalistes, au nombre d'une centaine, amassés dans un enclos près de la passerelle. Alex jeta un coup d'œil autour de lui et s'aperçut qu'il reconnaissait quelques-uns des visages qui convergeaient vers le Dôme. Acteurs, animateurs de télévision, mannequins, politiciens. Tous brandissaient leur carton d'invitation et faisaient la queue pour entrer. C'était bien davantage que le lancement d'un jeu vidéo. Il s'agissait de la réception la plus chic que Londres ait jamais vue.

Pourtant il devait trouver un moyen de s'y faufiler.

Alex ignora un policier qui filtrait les visiteurs et poursuivit son chemin vers la passerelle d'un pas assuré, comme s'il était invité. Jack le suivait à quelques mètres. Il lui adressa un signe de tête.

Son oncle Ian Rider lui avait enseigné les bases du vol à la tire. À l'époque ce n'était qu'un jeu. Alex venait d'avoir dix ans et ils visitaient Prague. Ils parlaient de *Oliver Twist*, le roman de Dickens, et Ian lui avait expliqué les techniques de vol d'Artful Dodger en lui faisant une rapide démonstration. Alex avait compris beaucoup plus tard qu'il s'agissait en réalité d'une des phases de son entraînement. Depuis le début, son oncle l'avait secrètement formé à devenir ce qu'Alex n'avait jamais souhaité être.

Mais aujourd'hui, la leçon sur l'art du pick-pocket s'avérait utile.

Alex se trouvait maintenant tout près de la passerelle. Les gorilles en uniforme contrôlaient les invitations : des cartons argentés avec le logo « Gameslayer » imprimé en noir. Il se formait un engorgement naturel à l'endroit où la foule arrivait devant l'entonnoir que représentait la passerelle. Alex jeta un dernier regard à Jack. Elle était prête.

Alex s'arrêta et cria :

— On m'a volé mon invitation !

Malgré la musique, sa voix porta suffisamment pour atteindre le cercle immédiat des gens qui l'entouraient. C'était une astuce classique des voleurs à la tire. Au lieu de se préoccuper d'Alex, chacun s'inquiéta aussitôt de sa propre invitation. Alex vit un homme écarter sa veste pour vérifier dans sa poche intérieure. À côté de lui, une femme ouvrit et ferma son sac à main. Plusieurs personnes sortirent leur carton pour le tenir fermement serré dans leur main. Un gros barbu tapota la poche arrière de son pantalon. Alex sourit.

Il fit un signe à Jack. Le barbu était la cible choisie par Alex. L'homme était parfaitement placé, quelques pas devant lui, et le coin de son carton d'invitation dépassait de sa poche. Jack allait jouer le rôle du comparse. Elle ferait diversion tandis qu'Alex passerait à l'action. Tout était bien réglé.

Jack s'avança et feignit de reconnaître l'homme à la barbe.

— Harry ! s'exclama-t-elle en lui sautant au cou.

— Mais je ne suis pas..., commença le barbu.

Au même instant, Alex fit deux pas, contourna une femme qu'il reconnut vaguement pour l'avoir vue dans un téléfilm, subtilisa le carton d'invitation de la poche arrière du barbu et le glissa sous sa veste, coincée sous son bras. Il lui avait fallu moins de trois secondes, et pourtant il n'avait pas été particulièrement précautionneux. C'était le principe de base du vol à la tire. Cela nécessitait autant d'organisation que de talent. Il fallait distraire la future victime. En l'occurrence, toute l'attention du barbu était concentrée sur Jack, qui lui enlaçait le cou. Si vous pincez le bras de quelqu'un, il ne s'apercevra pas que, en même temps, vous lui touchez la jambe. Alex avait retenu la leçon que Ian Rider lui avait apprise des années auparavant.

— Vous ne vous souvenez pas de moi ? s'écria Jack. Nous nous sommes rencontrés au Savoy !

— Non, désolé, vous devez faire erreur.

Alex s'approchait déjà de la passerelle. Dans quelques secondes, le barbu allait chercher son invitation, ne la trouverait pas, et même s'il lui venait l'idée d'accuser Jack, il n'aurait aucune preuve. Alex et son butin se seraient déjà envolés.

Alex présenta le carton d'invitation au garde et s'engagea sur la passerelle. Il se sentait un peu coupable et espérait que le barbu parviendrait néanmoins à entrer, pestant intérieurement contre Damian Cray, qui avait fait de lui un voleur. Cependant, il savait que, depuis l'instant où Cray avait répondu à son appel téléphonique de Camargue, il avait franchi un point de non-retour.

À l'autre bout de la passerelle, il remit le carton au second contrôle. Devant lui s'ouvrait une entrée de forme triangulaire. Alex pénétra à l'intérieur du dôme. Il découvrit un espace immense, doté d'éclairages ultraperfectionnés et d'une scène surélevée. Le sigle CST s'étalait sur un écran à plasma géant. Environ cinq cents invités étaient déjà là, buvant du champagne et s'empiffrant de canapés. Des serveurs circulaient avec des bouteilles et des plateaux. Toute l'assistance bruissait d'excitation.

Soudain la musique se tut. L'éclairage se modifia et l'écran devint blanc. Puis on entendit un léger bourdonnement et des nuages de neige carbonique se déversèrent sur la scène. Un mot – GAMESLAYER – se dessina sur l'écran. Le bourdonnement s'amplifia. Les lettres de Gameslayer éclatèrent et une silhouette animée apparut : un combattant ninja vêtu de noir de la tête aux pieds, agrippé à l'écran comme un sosie en carton découpé de Spiderman. Le bourdonnement était devenu assourdissant. On aurait dit le rugissement d'un vent du désert soutenu par un orchestre. Des ventilateurs avaient dû se mettre en marche car un véritable vent s'engouffra dans le dôme et dissipa le nuage de neige carbonique, révélant Damian Cray – costume blanc et cravate rayée rose et argent –, seul sur la scène, tandis que son image agrandie à l'extrême apparaissait sur l'écran derrière lui.

Le public se rua vers la scène en applaudissant. Cray leva la main pour imposer le silence.

— Bienvenue à tous !

Alex fut aspiré vers la scène comme tout le monde. Il voulait se rapprocher autant que possible de Cray. Déjà il éprouvait l'étrange sensation de se trouver dans la même pièce qu'un homme qu'il connaissait depuis toujours sans l'avoir jamais rencontré. Sa première pensée fut que Damian Cray était plus petit au naturel qu'il ne le paraissait sur les photos. Ce qui ne l'empêchait pas d'être une célébrité de premier plan depuis trente ans. Il avait une présence impressionnante, il irradiait la maîtrise et la confiance en soi.

— C'est aujourd'hui le grand jour du lancement

public du Gameslayer, ma nouvelle console de jeux vidéo.

Il avait un très léger accent américain.

— J'aimerais d'abord vous remercier d'être venus. Mais s'il y a dans l'assistance des gens de chez Sony ou Nintendo, j'ai une mauvaise nouvelle à leur annoncer. (Il marqua une pause en souriant et ajouta :) Vous êtes fichus.

Des rires et des applaudissements éclatèrent. Alex lui-même se surprit à sourire. Cray avait du talent pour capter l'attention de ses invités.

— Le Gameslayer offre une qualité graphique et des détails dont ne dispose aucun autre programme existant, poursuivit Cray. Il peut générer des univers, des personnages et des simulations physiques complexes en temps réel grâce à sa puissance de traitement qui est, en un mot, foudroyante. D'autres systèmes vous proposent des poupées en plastique luttant contre des silhouettes en carton découpé. Avec Gameslayer, les cheveux, les yeux, le teint de la peau, l'eau, le bois, le métal et la fumée semblent réels. Nous obéissons aux lois de la gravité et de la friction. Plus encore, nous avons mis au point une nouveauté révolutionnaire que nous appelons douleur de synthèse. De quoi s'agit-il ? Vous le découvrirez dans quelques minutes.

Il s'interrompit, de nouveau salué par des applaudissements.

— Mais avant de passer à la démonstration, j'aimerais savoir si des journalistes ont des questions à me poser ?

Un homme, devant la scène, leva la main.

— Combien de jeux allez-vous lancer sur le marché cette année ?

— Pour l'instant nous n'avons que celui-ci, répondit Cray. Mais il y en aura douze autres dans les magasins à Noël.

— Comment s'appelle le premier jeu ? demanda un autre.

— Le Serpent à Plumes.

— C'est un jeu vidéo violent ? questionna une journaliste.

— Eh bien... oui, admit Cray.

— Il y a donc des fusillades.

— Oui.

La femme sourit, mais sans humour. Elle avait une cinquantaine d'années, des cheveux grisonnants et un visage sévère de maîtresse d'école.

— Vous avez la réputation de détester la violence, reprit-elle. Comment justifiez-vous de vendre des jeux violents à des enfants ?

Des murmures gênés parcoururent l'assistance. Bien que la femme fût journaliste, les gens trouvaient choquant de questionner Cray de cette manière. Surtout quand on buvait son champagne et mangeait ses petits fours.

Toutefois Cray ne parut pas offensé.

— C'est une bonne question, répondit-il de sa voix douce et mélodieuse. Lorsque nous avons commencé à travailler sur le Gameslayer, nous avons conçu un jeu où le héros devait cueillir des fleurs de différentes couleurs dans un jardin et les arranger dans un vase. Il y avait aussi des petits lapins blancs. Mais vous savez quoi ? Notre équipe de recherche a découvert que les adolescents d'aujourd'hui n'avaient aucune envie d'y jouer. Vous vous rendez compte ? Ils m'ont affirmé que nous n'en vendrions pas un seul exemplaire !

Tout le monde éclata de rire. Maintenant c'était la journaliste qui paraissait embarrassée.

Cray leva de nouveau la main et poursuivit :

— Cela dit, vous avez raison. C'est vrai, j'ai horreur de la violence. De la véritable violence... de la guerre. Mais, vous savez, les adolescents de maintenant ont en eux une grande agressivité. Cela aussi c'est la réalité. Et j'en suis venu à penser qu'il vaut mieux pour eux se débarrasser de cette agressivité en jouant à des jeux vidéo inoffensifs comme le mien plutôt que de se défouler dans la rue.

— Mais vos jeux encouragent la violence ! insista la journaliste.

Damian Cray se rembrunit.

— Je crois avoir répondu à votre question. Donc vous devriez cesser de mettre en question ma réponse.

Sa boutade déclencha de nouveaux applaudissements et Cray attendit que le silence revienne.

— Maintenant, assez bavardé, reprit-il. J'aimerais que vous découvriez vous-mêmes le Gameslayer, et le meilleur moyen est d'y jouer. Peut-être y a-t-il des adolescents dans l'assistance ? Bien que je ne me rappelle pas en avoir invité...

— Ici ! cria une voix.

Alex se trouva soudain propulsé en avant. Tous les regards se braquèrent sur lui, y compris celui de Cray.

— Non..., tenta de protester Alex.

Mais déjà le public l'applaudissait et le poussait vers la scène. La foule s'écarta et, avant même de comprendre ce qu'il lui arrivait, il gravit quelques marches. Tout se mit à tourner. Les projecteurs l'aveuglaient.

Il était sur la scène avec Damian Cray.

7

LE SERPENT À PLUMES

C'était la dernière chose à laquelle il s'attendait.

Alex se trouvait face à l'homme qui – s'il avait vu juste – avait donné l'ordre de tuer le père de Sabina. Mais avait-il vu juste ? Pour la première fois il avait la possibilité d'examiner Damian Cray de près – une expérience curieusement perturbante.

Cray était l'une des personnalités les plus célèbres du monde. On le voyait partout : sur des couvertures de CD, des affiches, dans les journaux et les magazines, à la télévision. Même sur des paquets de céréales ! Et pourtant le visage que découvrait Alex était assez décevant. Il le trouvait moins réel que sur les photos.

Cray paraissait étonnamment juvénile pour ses cinquante ans passés, mais quelque chose de tendu et de luisant dans sa peau trahissait une opération de chirurgie esthétique. Les cheveux noir corbeau étaient vraisemblablement teints et les yeux verts manquaient d'éclat. De petite taille, Cray faisait penser à une poupée dans un magasin de jouets ; on aurait dit que son statut de superstar et ses milliards l'avaient transformé en une copie en plastique de lui-même.

Et pourtant...

Damian Cray avait accueilli Alex sur scène avec un large sourire comme s'il recevait un vieil ami. À la fois chanteur et adversaire déclaré de la violence – ainsi qu'il le répétait volontiers –, il voulait sauver le monde, non le détruire. Le dossier constitué sur lui par le MI6 ne révélait rien d'anormal. Alex était ici à cause d'une voix, de quelques mots entendus au téléphone. Et il commençait à regretter d'être venu.

Il lui sembla qu'ils se trouvaient sur cette scène depuis une éternité, devant cette foule qui attendait une démonstration. En réalité, quelques secondes seulement s'étaient écoulées. Cray lui tendit la main.

— Comment t'appelles-tu ?

— Alex Rider.

— Enchanté de te connaître, Alex Rider. Je suis Damian Cray.

Ils se serrèrent la main. Alex ne put s'empêcher de songer que des millions de gens, à travers le monde, auraient donné n'importe quoi pour être à sa place.

— Quel âge as-tu, Alex ?

— Quatorze ans.

— Ravi de te connaître. Merci de nous offrir ton aide.

Leurs paroles étaient amplifiées dans tout le dôme. Du coin de l'œil, Alex s'aperçut que sa propre image avait rejoint celle de Cray sur l'écran à plasma géant.

— Nous avons la chance d'avoir un adolescent parmi nous, poursuivit Cray en s'adressant au public. Nous allons voir comment... Alex... se débrouille avec le premier niveau de Gameslayer 1. Le Serpent à Plumes.

Pendant le speech de Cray, trois techniciens montèrent sur la scène pour installer un moniteur, une console de jeux, une table et une chaise. Alex comprit tout à coup qu'on allait lui demander de tester le jeu devant le public, qui suivrait ses performances en grand sur l'écran à plasma géant.

— Le Serpent à Plumes s'inspire de la civilisation aztèque, expliqua Cray. Les Aztèques arrivèrent au Mexique en 1195, mais certains affirment qu'en réalité ils venaient d'une autre planète. C'est sur cette planète qu'Alex va se retrouver maintenant. Sa mission consiste à découvrir quatre soleils manquants. Mais d'abord il doit entrer dans le temple de Tlaloc, franchir les obstacles de cinq salles, puis se jeter dans le bassin de la flamme sacrée. Ce qui le conduira au niveau suivant.

Un quatrième technicien arriva avec une webcam. Il s'arrêta devant Alex, le scanna rapidement, pressa un bouton sur le côté de la caméra et s'en alla. Cray attendit qu'il soit parti pour continuer.

— Vous vous êtes peut-être interrogés sur la petite silhouette noire qui est apparue sur l'écran, reprit Cray à l'attention du public. Son nom est Omni. Il sera le héros de tous les jeux Gameslayer. Vous le croyez peut-être neutre et insignifiant, mais Omni est chaque garçon et chaque fille d'Angleterre. Il est chacun des enfants de la Terre... Et je vais vous montrer comment !

L'écran devint blanc, puis explosa en un tourbillon de couleurs. Une fanfare assourdissante retentit – non pas des trompettes mais leur équivalent électronique – et sur les portes d'un temple un immense visage aztèque sculpté dans le bois apparut. Alex vit aussitôt que le détail graphique du Gameslayer dépassait en qualité tout ce qui existait. Mais bientôt des exclamations de surprise parcoururent le public et Alex comprit pourquoi. Sur l'écran, un garçon avançait et s'arrêtait devant les portes du temple, attendant les ordres. Le garçon était Omni. Mais il s'était transformé : il portait maintenant les mêmes vêtements qu'Alex, il ressemblait à Alex. Plus extraordinaire encore, il *était* Alex jusque dans les moindres détails : mêmes yeux bruns, mêmes mèches claires tombant sur le front.

Les applaudissements explosèrent littéralement dans toute la salle. Alex aperçut des journalistes griffonner fébrilement sur leur calepin ou parler avec animation dans leur téléphone mobile, espérant être les premiers à sortir cet incroyable scoop. Oubliés le champagne et le buffet. La technologie de Cray avait fabriqué un avatar, un sosie, un double électronique de lui-même, si fidèle qu'il devenait possible à n'importe quel joueur non seulement de jouer mais de faire partie intégrante du jeu. On pouvait parier que le Gameslayer allait se vendre dans le monde entier et rapporter une fortune colossale à Cray. Une fortune colossale dont vingt pour cent seraient reversés à des œuvres caritatives. Cet homme pouvait-il véritablement être son ennemi ?

Cray attendit que le silence fût revenu et se tourna vers Alex.

— À toi de jouer !

Alex s'assit devant la console installée par les techniciens. Il saisit la manette de commande et pressa légèrement avec son pouce gauche. Devant lui, sur l'écran à plasma géant, Omni-Alex marcha vers la droite, s'arrêta, tourna de l'autre côté. La manette était d'une extrême sensibilité. Alex se fit l'impression d'être un dieu aztèque contrôlant son double mortel.

— Ne t'inquiète pas si tu te fais tuer au premier essai, le rassura Cray. La console est plus rapide que tout ce qui existe sur le marché et il te faudra sûrement un moment avant de t'y habituer. Mais nous sommes tous avec toi, Alex. Alors... place au Serpent à Plumes ! Voyons jusqu'où tu iras !

Les portes du temple s'ouvrirent.

Alex abaissa la manette et, sur l'écran, son double pénétra dans un environnement surnaturel, insolite et superbement réalisé. Le temple était un mélange d'art primitif et de science fiction, avec d'imposantes colonnades, des torches lumineuses, des inscriptions complexes et des statues aztèques. Mais le sol était argenté, non en pierre. D'étranges escaliers et des couloirs métalliques serpentaient autour du temple. Une lumière électrique scintillait derrière les fenêtres obstruées d'épais barreaux. Des caméras en circuit fermé surveillaient chacun de ses mouvements.

— Tout d'abord tu dois découvrir deux armes dans la première salle, expliqua Cray en se penchant par-dessus l'épaule d'Alex. Tu risques d'en avoir besoin par la suite.

La première salle était immense et résonnait d'une musique d'orgue vibrante. Des vitraux colorés représentaient des champs de blé survolés de vaisseaux spatiaux, avec des cercles tracés dans le blé. Alex repéra la première arme assez facilement : une épée accrochée en haut d'un mur. Mais bientôt il s'aperçut que la salle était truffée de pièges. Une section du mur s'écroula quand il grimpa dessus. Et lorsqu'il tendit la main pour saisir l'épée, il activa un projectile qui jaillit de nulle part et fonça droit sur lui – ou plus exactement sur Omni-Alex. Le projectile, double boomerang pourvu de lames aiguisées comme un rasoir, tournait à la vitesse de la lumière et pouvait couper un homme en deux.

Alex actionna vivement la manette à l'aide de ses deux pouces. Son double s'accroupit pour esquiver le boomerang mais l'une des lames passa si près qu'elle lui entailla le bras. Le public retint son souffle. Un filet de sang ruissela sur la manche d'Omni-Alex, et son visage – le visage d'Alex – se crispa dans une grimace de douleur. L'expression était si réaliste qu'il dut résister à l'envie de regarder son propre bras, le vrai, pour se convaincre qu'il n'était pas blessé.

— Douleur de synthèse ! s'exclama Cray, dont la voix résonna dans le dôme. Dans l'univers Gameslayer, nous partageons les émotions du héros. Si Alex mourait, le processeur nous ferait ressentir sa mort.

Omni-Alex était redescendu pour chercher la seconde arme. L'entaille de son bras cessait déjà de saigner. Il esquiva un deuxième boomerang qui lui frôla l'épaule, mais la seconde arme restait introuvable.

— Cherche derrière le lierre, suggéra Cray en chuchotant... mais dans le micro.

Le public sourit, amusé de voir qu'Alex avait déjà besoin d'aide.

Une arbalète était en effet dissimulée dans une

niche recouverte de lierre. Mais Cray avait omis de préciser que le lierre contenait une charge électrique de 10 000 volts. Alex s'en aperçut trop tard. Dès que Omni-Alex toucha le lierre, il y eut un éclair bleuté et il fut projeté en arrière. Il poussa un cri et ouvrit des yeux fixes et exorbités. Son double n'était pas mort mais sérieusement touché.

Cray tapota l'épaule d'Alex et lui conseilla :

— Tu devrais te montrer plus prudent.

Un frisson d'excitation parcourut l'assistance. Personne n'avait jamais rien vu de semblable.

Alex prit sa décision à cet instant. Soudain, il oublia tout : le MI6, Yassen, Saint-Pierre. Cray l'avait piégé en lui suggérant de toucher le lierre ; il l'avait délibérément blessé. Bien sûr, ce n'était qu'un jeu. Seul Omni avait été atteint. Mais l'humiliation était bien réelle. Vexé, il résolut de vaincre le Serpent à Plumes. Il ne succomberait pas. Personne ne prendrait part à sa mort.

Il s'empara de l'arbalète et fit progresser son double à l'intérieur de l'univers aztèque.

La deuxième salle consistait en un énorme trou dans le sol, une sorte de puits d'une cinquantaine de mètres de profondeur, où d'étroits piliers s'élevaient jusqu'en haut. Un seul moyen de le franchir : sauter d'un pilier à l'autre. Mais si l'on dérapait ou perdait l'équilibre, la chute était mortelle. Pour corser encore la difficulté, il pleuvait abondamment dans la salle et l'eau rendait toutes les surfaces glissantes. La pluie elle-même était extraordinaire. Comme l'expliqua Cray au public, la technologie du Gameslayer permettait à chaque goutte d'eau d'être réalisée individuellement. Omni-Alex était trempé : les vêtements dégoulinants, les cheveux plaqués sur la tête.

Soudain un cri rauque retentit. Une créature dotée d'ailes de papillon, de la tête et des griffes d'un dragon, fondit sur Omni-Alex pour essayer de le déloger de son perchoir. Alex le tua d'un trait d'arbalète, puis sauta sur les trois derniers piliers et atteignit l'autre côté du puits.

— Tu te débrouilles très bien, le félicita Cray. Mais voyons si tu arrives à traverser la troisième salle.

Alex se sentait confiant. Le Serpent à Plumes était superbement conçu, le décor et la topographie étaient parfaits, et Omni dépassait de loin tous ses concurrents. Cependant, malgré ses qualités exceptionnelles, cela restait un jeu vidéo, pareil à ceux auxquels Alex avait joué sur Xbox et PlayStation 2. Il savait ce qu'il faisait. Il pouvait gagner.

La troisième salle ne lui posa guère de problèmes. C'était un long couloir étroit, bordé de chaque côté par des têtes sculptées. Une grêle de lances et de flèches jaillit des bouches de bois béantes, mais aucune ne menaça dangereusement Omni-Alex, qui courut d'un bout à l'autre de la salle en les esquivant. Une rivière d'acide bouillonnante serpentait le long du couloir. Il la franchit d'un bond comme s'il s'agissait d'un ruisseau inoffensif.

Il arriva ensuite devant une incroyable jungle intérieure, dont le plus grand péril se dissimulait parmi les arbres et les plantes rampantes : un immense serpent robot hérissé de pointes, une créature terrifiante. Alex n'avait jamais vu un dessin aussi parfait. Mais son double la contourna si vite que le public eut à peine le temps de l'admirer.

Le visage de Cray n'avait pas changé d'expression, mais il était maintenant penché au-dessus d'Alex, les yeux fixés sur l'écran. Il avait posé une main sur son épaule et la serrait si fort que ses phalanges blanchissaient.

— Tu fais paraître le jeu trop facile, lui murmura-t-il à l'oreille.

Son ton était léger mais sa voix trahissait une tension croissante parce que le public s'était maintenant rangé du côté d'Alex. On avait dépensé des millions de livres sterling pour la conception du logiciel, et voilà que le premier adolescent venu le mettait en échec. Quand Omni-Alex échappa à un deuxième serpent robot, un rire fusa dans l'assistance. La main de Cray se crispa sur l'épaule d'Alex.

Dans la cinquième salle se trouvait un labyrinthe à miroirs, rempli de fumée et gardé par une douzaine de dieux aztèques revêtus de plumes, de joyaux et de masques d'or. Là encore, chaque dieu était un chef-d'œuvre d'art graphique. Mais ils avaient beau assaillir Omni-Alex, ils le manquaient sans cesse. Alors toute l'assistance se mit à rire, à applaudir et à encourager Alex.

Un autre dieu, pourvu celui-ci de serres et d'une queue d'alligator, se dressa devant le bassin de feu qui ouvrait l'accès au deuxième niveau. Il ne restait plus que ce dernier obstacle. C'est le moment que choisit Cray pour agir. Il le fit très discrètement. Personne ne risquait de voir son geste et si, par hasard, quelqu'un le remarquait, cela passerait simplement pour un élan d'excitation causé par le jeu. Pourtant son geste était parfaitement calculé. Sa main quitta l'épaule d'Alex pour descendre le long de son bras et le tira d'un coup sec en arrière pour l'obliger à lâcher la manette de commande. Pendant quelques brèves secondes, Alex perdit le contrôle. Ce fut suffisant. Le dieu aztèque tendit le bras et ses griffes ratissèrent le torse d'Omni-Alex. Alex entendit réellement sa chemise se déchirer et il ressentit presque la douleur quand le sang s'écoula. Son double tomba à genoux, bascula en avant et ne bougea plus. Sur l'écran l'image se figea et les mots PARTIE TERMINÉE apparurent en lettres rouges.

Un silence consterné s'abattit dans le dôme.

— Dommage, Alex, dit Cray. Ce n'était pas aussi facile que tu l'imaginais.

Quelques applaudissements disséminés retentirent,

mais il était difficile de savoir s'ils saluaient la technologie du jeu ou les prouesses d'Alex. On percevait aussi dans le public un sentiment de malaise. Peut-être le Serpent à Plumes était-il trop réaliste... Les invités avaient sans doute vraiment l'impression qu'une partie d'Alex était morte, là, sur l'écran.

Alex se tourna vers Cray. Furieux. Lui seul savait que Cray avait triché. Celui-ci souriait de nouveau.

— Tu as très bien joué, Alex. Je voulais une démonstration et tu nous en as donné une. N'oublie pas de laisser ton adresse à l'un de mes assistants. Tu recevras une console Gameslayer gratuite et tous les jeux qui l'accompagnent.

À ces mots, le public applaudit avec plus d'enthousiasme. Cray tendit la main. Alex hésita un instant avant de la prendre. Dans un sens, il ne pouvait guère lui en vouloir. Cray ne pouvait laisser ridiculiser le Gameslayer dès son premier jour de lancement. Il avait de gros investissements à protéger. Mais Alex n'avait pas apprécié son attitude.

— Ravi de t'avoir rencontré, Alex. Bravo...

Alex descendit de la scène. D'autres démonstrations suivirent, d'autres exposés présentés par des membres de l'équipe de Cray. Puis on servit le déjeuner. Mais Alex en avait assez. Il quitta le Dôme des Loisirs, franchit la passerelle, traversa le parc, et regagna King's Road.

Jack l'attendait à la maison.

— Alors ?

Alex lui raconta tout.

— Quel tricheur ! s'emporta la jeune femme. Mais tu sais, Alex, des tas de gens riches sont mauvais perdants. Et Cray est extrêmement riche. Tu penses vraiment que ça prouve quelque chose ?

— Je ne sais pas, Jack.

Alex se sentait désorienté. Il ne devait pas oublier qu'une part des bénéfices reviendrait à des œuvres charitables. Une somme considérable. Et il n'avait toujours aucune preuve. Quelques mots prononcés au téléphone suffisaient-ils à lier Cray aux événements de Saint-Pierre ?

— Si on allait à Paris ? suggéra Alex. C'est là que tout a commencé. Le fameux rendez-vous de Cray, et l'enquête d'Edward Pleasure. Le père de Sabina travaillait avec un photographe. Un certain Marc Antonio.

— Ce n'est pas commun comme nom. On devrait pouvoir le retrouver facilement, dit Jack. Et puis j'adore Paris.

— On risque de perdre notre temps, soupira Alex. Je n'aimais pas Damian Cray, mais maintenant que je l'ai rencontré... C'est un artiste. Il fabrique des jeux vidéo. Il n'a pas l'air d'un homme qui voudrait tuer quelqu'un.

— À toi de décider, Alex.

— Je ne sais pas, Jack. Je ne sais plus.

Les journaux télévisés du soir commentèrent abondamment le lancement officiel du Gameslayer. On rapportait que toute l'industrie informatique avait été ébahie par la qualité graphique et la puissance du nouveau système. Nul ne mentionna le rôle d'Alex dans la démonstration. En revanche on évoqua le sort d'une autre personne. Un événement avait assombri cette journée qui, sans cela, aurait été parfaite. Une mort brutale. Le visage d'une femme apparut brièvement dans un coin de l'écran. Alex reconnut aussitôt la journaliste au visage sévère qui avait mis Cray sur le gril en l'interrogeant sur la violence. Un policier expliqua qu'elle avait été renversée par une voiture en quittant le parc. Le chauffard avait pris la fuite.

Le lendemain matin, Alex et Jack se rendirent à la gare de Waterloo et achetèrent deux billets pour l'Eurostar.

À midi, ils arrivaient à Paris.

8

RUE BRITANNIA

— Tu te rends compte, Alex ? dit Jack. Picasso s'est assis exactement où nous sommes. Et Chagall. Et Salvador Dali...

— À cette table ?

— Dans ce café. Tous les grands artistes venaient ici.

— Qu'est-ce que tu essaies de me dire, Jack ?

— Eh bien... je me demandais si tu ne voudrais pas oublier toute cette sale affaire et m'accompagner au musée Picasso. Paris est une ville fantastique. Et j'ai toujours trouvé plus agréable d'admirer des tableaux que de me faire tirer dessus.

— Personne ne nous a tiré dessus.

— Pas encore.

Arrivés la veille à Paris, ils logeaient dans un petit hôtel que connaissait Jack, en face de Notre-Dame. Jack avait ses habitudes à Paris. Elle y avait vécu un an comme étudiante à la Sorbonne. Sans la mort brutale de Ian Rider et son engagement envers Alex, elle serait probablement revenue s'y installer.

Jack avait eu raison au moins sur un point. Dénicher Marc Antonio n'avait guère posé de problèmes. Elle avait téléphoné à trois agences de photographes avant de trouver celle qui le représentait. Ensuite elle avait usé de son charme – et de son français un peu rouillé – pour extorquer son numéro de téléphone personnel à la standardiste de l'agence. Mais rencontrer Marc Antonio s'avérait nettement plus difficile.

Jack avait appelé son numéro une bonne douzaine de fois au cours de la matinée avant d'obtenir une réponse. Une voix d'homme. Non, ce n'était pas Marc Antonio. Oui, c'était bien l'appartement d'Antonio, mais non il ignorait où celui-ci se trouvait. La voix était terriblement soupçonneuse. Alex, qui tendait l'oreille pour écouter, avait fini par prendre l'appareil.

Son français valait presque celui de Jack car il avait commencé à l'apprendre dès l'âge de trois ans...

— Je m'appelle Alex Rider, dit-il au correspondant anonyme. Je suis un ami d'Edward Pleasure, un journaliste anglais qui...

— Je sais qui il est.

— Et savez-vous ce qu'il lui est arrivé ?

Il y eut un silence puis son interlocuteur répondit :

— Je vous écoute.

— Je dois parler avec Marc Antonio. J'ai une information importante.

Alex s'interrompit un instant pour réfléchir. Devait-il en dire plus dès maintenant ?

— C'est au sujet de Damian Cray.

Le nom produisit le même effet. Un silence, plus long que le précédent, puis :

— Venez à *La Palette*, un café, rue de Seine. Je vous y retrouve à treize heures.

Un déclic. L'homme avait raccroché.

Il était treize heures dix. *La Palette*, à l'angle de la rue de Seine et d'une large ruelle, entourée de galeries d'art, bruissait d'animation. Des serveurs en long tablier blanc allaient et venaient en brandissant des plateaux au-dessus de leur tête. L'endroit était bondé mais Jack et Alex avaient réussi à trouver une table en bordure de terrasse, où ils seraient très repérables. Jack buvait une bière pression, Alex une grenadine. Sa boisson favorite quand il se trouvait en France.

Il commençait à se demander si l'homme avec qui il avait parlé au téléphone allait se montrer. À moins qu'il ne soit déjà arrivé. Comment se retrouveraient-ils dans cette foule ? Soudain il remarqua un motard assis sur un vieux Piaggio 125, de l'autre côté de la rue. C'était un jeune homme en blouson de cuir, aux cheveux noirs bouclés et aux joues mal rasées. Il était arrivé depuis quelques minutes, mais n'était pas descendu de son scooter. Alex croisa son regard. Le contact s'établit aussitôt. Le jeune homme parut étonné, mais abandonna son deux-roues pour s'approcher de la terrasse à pas prudents, comme s'il redoutait un piège.

— Alex Rider ? demanda-t-il en anglais, avec un accent charmant.

— Oui.

— Je ne m'attendais pas à quelqu'un de ton âge.

— Quelle différence cela fait-il ? intervint Jack, prenant la défense d'Alex. Vous êtes Marc Antonio ?

— Non. Je m'appelle Robert Guppy.

— Vous savez où il se trouve ?

— Il m'a demandé de vous conduire à lui, dit Guppy avec un regard vers son scooter. Mais je n'ai qu'une seule place.

— Alors il n'en est pas question. Je ne laisserai pas Alex partir seul.

— Ne t'inquiète pas, Jack, dit Alex en lui souriant. Profites-en pour aller au musée Picasso.

Jack soupira, puis hocha la tête.

— Bon, d'accord. Mais fais attention.

Robert Guppy conduisait dans Paris comme quelqu'un qui connaissait parfaitement la ville... ou qui voulait y mourir. Il zigzaguait au milieu de la circulation, dédaignait les feux rouges, fonçait au milieu des carrefours, salué par une cacophonie furieuse de klaxons. Alex s'accrochait désespérément à lui. Il n'avait pas la moindre idée de leur destination, mais comprit que Guppy avait une excellente raison de rouler si dangereusement. Il s'assurait ainsi qu'on ne le suivait pas.

Ils ralentirent un peu sur l'autre rive de la Seine, en bordure du Marais, juste après le Forum des Halles. Alex reconnut le quartier. La dernière fois qu'il y était venu, il se faisait appeler Alex Friend et accompagnait l'horrible Mme Stellenbosch qui l'emmenait au collège de Pointe Blanche[1]. Guppy s'arrêta bientôt dans une rue bordée d'immeubles typiquement parisiens : six étages, une porte cochère massive, de hautes fenêtres.

Alex aperçut le nom sur la plaque. Impasse Britannia. Elle ne menait nulle part et la moitié des immeubles semblaient vides et décrépits. Ceux du fond étaient d'ailleurs étayés par des échafaudages, entourés de brouettes, de bétonneuses, et munis de glissières en plastique orange pour évacuer les gravats. Mais il n'y avait aucun ouvrier en vue.

Guppy descendit du scooter et indiqua une porte.

— Par ici, dit-il.

Il jeta un dernier coup d'œil dans l'impasse et entraîna Alex dans l'immeuble.

La porte cochère débouchait sur une courette inté-

---

1. Allusion à la deuxième mission d'Alex, dans *Pointe Blanche*.

rieure, avec un tas de vélos rouillés dans un coin. Alex suivit Guppy dans un petit escalier de quelques marches menant à une autre porte. Celle-ci s'ouvrait sur une pièce spacieuse, haute de plafond, aux murs blancs, comportant des fenêtres sur deux côtés et un parquet de bois sombre. C'était un studio de photographe, avec des écrans, des lampes juchées sur des pieds métalliques, des parapluies argentés. Mais l'endroit servait aussi de lieu d'habitation. Il y avait un coin cuisine, où s'empilaient des casseroles et des assiettes sales.

Robert Guppy ferma la porte derrière eux, et un homme surgit de derrière un des parapluies. Il était pieds nus, en maillot de corps et jean informe. Alex lui donna une cinquantaine d'années. Il était mince, pas rasé, avec une tignasse de cheveux poivre et sel. Curieusement, un de ses yeux était couvert d'un bandeau. Un photographe borgne ? Pourquoi pas, après tout.

L'homme le dévisagea, puis s'adressa à son ami en français.

— C'est lui qui a téléphoné ?

— Oui.

— Vous êtes Marc Antonio ? questionna Alex.

— Oui. Tu t'es présenté comme un ami d'Edward Pleasure. J'ignorais qu'Edward copinait avec des gamins.

— Je connais sa fille. J'étais en vacances chez eux quand... Vous savez ce qui lui est arrivé ?

— Évidemment je le sais. Pourquoi crois-tu que je me planque ici ?

Il scruta Alex d'un regard perplexe. Son œil unique cherchait à l'évaluer.

— Au téléphone, tu as dit avoir des informations sur Damian Cray. Tu le connais ?

— Je l'ai rencontré il y a deux jours, à Londres.

— Cray ne se trouve plus à Londres, intervint Robert Guppy en s'adossant contre la porte. Il possède une usine de logiciels informatiques dans la banlieue d'Amsterdam. À Sloterdijk. Il y est arrivé ce matin.

— Comment le savez-vous ? s'étonna Alex.

— Nous surveillons de près M. Cray.

Alex se tourna vers Marc Antonio.

— Dites-moi ce que vous et Edward Pleasure avez découvert sur lui. Quel était le sujet de l'article sur lequel travaillait Edward ? Y a-t-il un lien avec le rendez-vous de Cray à Paris ?

Le photographe réfléchit un instant, puis esquissa un sourire de travers qui dévoila ses dents jaunies par la nicotine.

— Alex Rider, tu es un drôle de gamin. Tu prétends avoir des informations à me fournir mais tu ne fais que poser des questions. Tu as un sacré culot. Mais ça me plaît.

Il sortit une Gauloise, se la vissa au coin des lèvres et l'alluma. Une volute de fumée bleutée s'éleva.

— Très bien, reprit-il. Je ne devrais probablement pas, mais je vais te dire ce que je sais.

Marc Antonio se percha sur un des tabourets de bar près de la cuisine et invita Alex à faire de même. Rober Guppy resta près de la porte.

— L'article sur lequel travaillait Edward n'avait rien à voir avec Damian Cray. En tout cas au début. Ed ne s'est jamais intéressé au monde du spectacle. Non. Il travaillait sur un sujet nettement plus important. La NSA. Tu sais ce que c'est ? La National Security Agency américaine. Ce service s'occupe d'antiterrorisme, d'espionnage et de protection de l'information. La plupart de ses travaux sont top secret. Conception de codes, décryptage, espions en tout genre.

— Ed s'intéressait à un certain Charlie Roper, officier supérieur de la NSA. Apparemment ce type avait trahi. Il avait de grosses dettes. Un accro.

— La drogue ?

— Non. Le jeu. Ça peut être aussi destructeur. Ed a appris que Roper se trouvait à Paris et il a pensé qu'il venait y vendre des secrets. Soit aux Chinois, soit plus probablement aux Nord-Coréens. Nous nous sommes vus il y a une semaine. Nous avons souvent travaillé ensemble, Ed et moi. Il écrivait les articles et je prenais les photos. Nous formions une équipe. Mais nous étions aussi amis. Bref, poursuivit Marc Antonio avec un haussement d'épaules, nous avons découvert où était descendu Roper et nous l'avons filé depuis son hôtel. Nous ignorions qui il allait rencontrer. Si on me l'avait dit, jamais je ne l'aurais cru.

Il se tut pour tirer sur sa Gauloise. Le bout rougeoya et de la fumée s'éleva devant son œil valide.

— Roper est allé déjeuner à *La Tour d'argent*, l'un des restaurants les plus chers de Paris. Et c'est Damian Cray qui a payé l'addition. Nous les avons vus ensemble. La salle du restaurant est en étage mais il y a de larges baies vitrées. Je les ai pris en photo au téléobjectif. Cray a remis une enveloppe à Roper. De l'argent je suppose. À en juger par l'épaisseur de l'enveloppe, ce devait être une très grosse somme.

— Une minute, l'interrompit Alex. Que ferait un chanteur de pop avec un officier de la NSA ?

— C'est précisément ce que Ed voulait découvrir, répondit le photographe. Il s'est mis à poser des questions. Sans doute en a-t-il posé un peu trop car, juste après, quelqu'un a essayé de le tuer à Saint-Pierre. Le même jour, j'ai failli subir le même sort. On avait placé une bombe dans ma voiture. Si j'avais tourné la clé de contact, je ne serais pas là en train de bavarder.

— Pourquoi ne l'avez-vous pas tournée ?

— Je suis un type prudent. J'ai remarqué un fil bizarre. Ensuite quelqu'un a fouillé mon appartement. On a volé presque tout mon matériel, y compris mes appareils et toutes les photos que j'avais prises à *La Tour d'argent*. Ce n'était pas une coïncidence.

Il marqua une pause avant de reprendre :

— Je me demande pourquoi je t'ai raconté tout ça, Alex Rider. Maintenant à toi de parler.

— J'étais en vacances à Saint-Pierre, commença Alex.

Il n'eut pas le temps d'en dire davantage.

Une voiture s'était garée dans la rue. Alex ne l'avait pas entendue approcher. Il en prit seulement conscience quand le moteur s'arrêta. Rober Guppy fit un pas en avant et leva la main. Marc Antonio tourna vivement la tête. Aux aguets. Il y eut un silence, et Alex pressentit que c'était un mauvais silence, un silence vide, définitif.

Soudain des détonations retentirent. Les fenêtres volèrent en éclats l'une après l'autre et les vitres s'abattirent sur le sol. Robert Guppy fut tué sur le coup, projeté en arrière par l'impact des balles, le torse criblé de trous rouges. Une ampoule électrique explosa, des morceaux de plâtre tombèrent du mur. L'air de la rue s'engouffra dans la pièce, et avec lui des cris d'hommes et des bruits de pas précipités qui traversaient la cour.

Marc Antonio fut le premier à réagir. Assis près de la cuisine, hors de la ligne de feu, il n'avait pas été touché. Alex aussi était indemne, mais en état de choc.

— Par ici ! cria le photographe.

Il propulsa Alex à travers le studio au moment où la porte s'ouvrait dans un fracas de bois éclaté. Alex eut juste le temps d'entrevoir un homme vêtu de noir tenant une mitraillette. Puis il fut happé derrière l'un des écrans qu'il avait remarqués un peu plus tôt. Il aperçut une autre sortie. Non pas une porte mais un trou grossièrement percé dans le mur. Marc Antonio l'avait déjà franchi. Alex le suivit.

— Grimpe là-haut ! dit le photographe en poussant Alex devant lui. C'est la seule issue !

L'escalier de bois, apparemment inutilisé, était vétuste et couvert de poussière de plâtre. Alex commença à le gravir. Trois étages, quatre. Marc Antonio juste derrière lui. Il y avait une porte à chaque palier mais le photographe le pressait de continuer. En bas, on entendait l'homme à la mitraillette, rejoint par un complice. Les deux tueurs les poursuivaient.

Ils arrivèrent tout en haut. Une autre porte barrait le passage. Alex tourna la poignée. Au même instant, une nouvelle rafale retentit. Marc Antonio poussa un grognement et bascula en arrière. Mort. Alex plongea en avant vers la porte ouverte, s'attendant à tout moment à être criblé de balles. Mais le photographe l'avait sauvé en tombant dans l'escalier entre lui et ses poursuivants. Alex déboucha sur le toit de l'immeuble. Il claqua la porte derrière lui d'un coup de talon.

Il se trouvait au milieu d'un décor de toits, de cheminées, d'antennes de télévision. La rangée de toits s'étirait sur toute la longueur de l'impasse ; des murets et de gros tuyaux séparaient les différents immeubles. Quelle était l'intention de Marc Antonio en montant ici ? Existait-il une issue de secours ? Un escalier rejoignant le rez-de-chaussée ?

Alex n'avait pas le temps de jouer aux devinettes. La porte du toit s'ouvrit brusquement et les deux tueurs apparurent. Ils se déplaçaient plus lentement, maintenant qu'ils le savaient pris au piège. Tout au fond de lui, Alex entendit une petite voix chuchoter : pourquoi ne me laissent-ils pas tranquille ? Ils étaient venus pour Marc Antonio, pas pour lui. Il n'avait rien à voir avec cette histoire. Mais les tueurs devaient avoir des ordres. Éliminer le photographe et son entourage. Peu importait qui était Alex. Il faisait partie du contrat simplement parce qu'il se trouvait sur les lieux.

Un détail lui revint alors en mémoire. Une chose qu'il avait remarquée en arrivant dans la rue. Il se mit à courir sans savoir si c'était la bonne direction. Derrière lui éclata le staccato de la mitraillette. Des plaques de zinc furent déchiquetées à quelques centimètres de ses pieds. Une autre rafale. À côté de lui, les briques d'une cheminée volèrent en éclats. Alex sauta derrière un muret de séparation. Le bord du toit se rapprochait. Derrière lui, les tueurs s'arrêtèrent, certains qu'il ne pouvait aller plus loin. Alex continua de courir. Il atteignit le bord du toit et s'élança dans le vide.

Les deux hommes crurent qu'il allait s'écraser sur le trottoir, six étages plus bas. Mais Alex s'était souvenu des travaux de ravalement. Des échafaudages, des bétonneuses, et de la glissière en plastique orange pour évacuer les gravats dans la rue.

La glissière était constituée d'une série de gros godets sans fond imbriqués les uns dans les autres, comme un toboggan de piscine. Alex n'avait pu évaluer son saut, mais il eut de la chance. Pendant une seconde ou deux, il vola dans le vide, bras et jambes écartées. Puis il aperçut l'entrée de la glissière et parvint à s'orienter vers elle. Ses jambes, puis ses hanches et enfin ses épaules pénétrèrent dans le tube rempli de poussière de ciment. Aveuglé, Alex ne distinguait que la couleur orange des parois. L'arrière de sa tête, ses cuisses, ses épaules étaient horriblement martelées et il avait le souffle coupé. Il prit conscience avec effroi que, si l'extrémité de la glissière était bouchée, il allait se fracasser les os.

Le tube avait la forme d'un J allongé. En arrivant en bas, Alex se sentit ralentir. Et soudain il fut craché à l'air libre. Il atterrit sur un tas de sable, à côté d'une bétonnière, et s'y enfonça. Tout l'air contenu dans ses poumons en fut expulsé. Il avait la bouche pleine de sable et de ciment. Mais il était vivant.

Péniblement, douloureusement, il se redressa et leva la tête. Les deux tueurs étaient restés sur le toit : ils avaient préféré ne pas jouer les cascadeurs et ils avaient eu raison. La glissière orange était juste assez grande pour contenir Alex et ils auraient été laminés bien avant d'arriver en bas. Alex jeta un coup d'œil dans la rue. La voiture garée devant chez Marc Antonio était vide et il n'y avait personne en vue.

Alex cracha le sable qu'il avait dans la bouche, s'essuya les lèvres du revers de la main et s'éloigna en boitillant. Avant de mourir, Marc Antonio lui avait fourni une autre pièce du puzzle. Alex connaissait maintenant sa prochaine destination : Sloterdijk. Une usine de logiciels informatiques dans la banlieue d'Amsterdam, à quelques heures de train de Paris.

Arrivé au bout de l'impasse, Alex accéléra le pas. Il était contusionné, sale et heureux d'être en vie. Restait à savoir quelle explication il allait donner à Jack.

9

L'ARGENT DU SANG

Allongé sur le ventre, Alex observait les gardes occupés à inspecter la voiture. Il avait des jumelles à prisme Baush & Lomb 11 × 30 qui lui permettaient de voir tous les détails malgré la distance. À cent mètres de la grille principale, il pouvait lire la plaque minéralogique et admirer la moustache du conducteur.

Il était là depuis une heure, étendu sans bouger devant un talus planté de pins, dissimulé derrière une haie d'arbustes. Il portait un jean gris, un tee-shirt sombre et une veste kaki achetée dans le même magasin de surplus de l'armée que celui où il s'était procuré les jumelles. Il n'avait pas cessé de bruiner tout l'après-midi et ses vêtements humides lui collaient à la peau. Il regrettait de ne pas avoir apporté le thermos de chocolat chaud que lui avait proposé Jack. Sur le moment, il avait pensé qu'elle le traitait comme un enfant. Pourtant même les commandos du SAS[1] savent combien il est important d'avoir chaud. Alex l'avait appris auprès d'eux au cours de son entraînement.

Jack l'avait accompagné à Amsterdam. Là encore, c'était elle qui avait choisi l'hôtel, situé sur le Herengracht, l'un des trois principaux canaux de la ville. Elle l'y attendait en ce moment même. Bien sûr elle avait aussi voulu venir ici avec lui. Après sa mésaventure de Paris, Jack était plus inquiète pour Alex que jamais. Mais il l'avait persuadée que deux personnes courraient plus de risques qu'une seule de se faire repérer. Sans compter que ses cheveux roux flamboyants n'aidaient pas au camouflage. Jack s'était résignée à regret.

— Rentre à l'hôtel avant la nuit, avait-elle néanmoins insisté. Et si tu passes devant un fleuriste, rapporte-moi un bouquet de tulipes !

Alex sourit en se remémorant ses paroles. Il se déplaça légèrement ; sous ses coudes l'herbe était détrempée. En résumé, qu'avait-il appris depuis une heure ?

Il se trouvait au milieu d'une zone industrielle, dans la banlieue d'Amsterdam. Sloterdijk comptait une

1. Special Air Service, régiments de l'armée britannique menant des opérations antiterroristes comme le GIGN français. Ils participent aussi à des guerres classiques, comme en Irak.

multitude d'usines, d'entrepôts et d'entreprises d'informatique. La plupart des bâtiments étaient bas, séparés les uns des autres par de larges espaces goudronnés, mais il apercevait aussi quelques bouquets d'arbres et des pelouses, comme si quelqu'un avait tenté – en vain – d'égayer les lieux. Trois moulins à vent se dressaient derrière le siège de l'empire technologique de Damian Cray, mais ce n'était pas des moulins hollandais traditionnels comme on en voit sur les cartes postales. Il s'agissait de constructions modernes en ciment gris, dotées de trois pales qui fendaient l'air inlassablement. Immenses, menaçants, ces moulins ressemblaient à des envahisseurs débarqués d'une autre planète.

Le site évoquait un camp militaire ou une prison. Une double clôture l'entourait, celle de l'extérieur hérissée de barbelés redoutables. Des tours de guet s'élevaient à cinquante mètres d'intervalle et des gardes patrouillaient sur tout le périmètre. En Hollande, où les policiers (contrairement à leurs confrères anglais) portent des revolvers, Alex ne s'étonna pas de voir les gardes armés. À l'intérieur de l'enceinte il y avait huit ou neuf bâtisses, basses et rectangulaires, aux façades de briques blanches et aux toits high-tech en plastique. Des employés circulaient, certains dans des véhicules électriques dont le bourdonnement des moteurs rappela à Alex les camionnettes des laitiers anglais. L'usine possédait son propre centre de communications, équipé de cinq immenses antennes paraboliques. À part cela, elle semblait se composer de laboratoires, de bureaux et de quartiers d'habitation. Un bâtiment, toutefois, se distinguait des autres : un cube de verre et d'acier à l'architecture agressivement moderne. Sans doute le quartier général, songea Alex. Peut-être Damian Cray s'y trouvait-il.

Mais comment pénétrer dans l'usine ? Alex observait l'entrée depuis une heure.

Une voie unique conduisait au portail, dotée d'un feu tricolore à chaque extrémité. Le processus était compliqué. Quand une voiture ou un camion arrivait, il s'arrêtait au bout de la route et attendait. C'est seulement lorsque le premier feu passait au vert que le véhicule pouvait poursuivre son chemin jusqu'au poste de contrôle en briques et en verre situé près de l'entrée. Là, un garde en uniforme sortait prendre la carte d'identité du conducteur, sans doute pour vérifier les données sur un ordinateur. Pendant ce temps, deux autres gardes examinaient le véhicule, s'assurant qu'il ne transportait pas de passagers. Ce n'était pas tout : une caméra de sécurité était perchée en haut du portail. Alex avait également remarqué une sorte d'épaisse plaque de verre encastrée dans le seuil de l'entrée, juste au-dessous des véhicules immobilisés au poste de contrôle. Il supposait qu'une deuxième caméra, enterrée, pouvait ainsi examiner le dessous des carrosseries. Bref, il n'avait trouvé aucun moyen de s'infiltrer dans l'enceinte de l'usine. Cray Software Technology ne laissait rien au hasard.

Plusieurs camions étaient entrés pendant qu'Alex surveillait les lieux. Il avait reconnu la silhouette grandeur nature d'Omni, tout de noir vêtu, peinte sur les flancs des camions portant le logo Gameslayer. Il envisagea la possibilité de se faufiler à l'intérieur d'un camion, peut-être au moment où celui-ci s'arrêtait au premier feu. Mais la route était trop dégagée. De nuit, elle serait illuminée par les projecteurs et, de toute façon, les portières seraient probablement verrouillées.

Escalader la clôture s'avérait tout aussi impossible à cause des barbelés. Creuser un tunnel ? Ridicule. Se déguiser et se faire passer pour un vigile de l'équipe du soir ? Hors de question. Son âge et sa taille jouaient contre lui. Jack aurait eu plus de chance en se faisant passer pour une femme de ménage ! En tout cas, il ne pouvait espérer franchir le poste de contrôle, surtout en ne parlant pas un mot de néerlandais. Les consignes de sécurité étaient trop draconiennes.

Soudain la solution apparut à Alex. Juste devant ses yeux.

Un autre camion venait de s'arrêter à l'entrée. Un garde interrogeait le conducteur pendant que d'autres fouillaient la cabine. Avait-il une chance ? Il songea à son vélo tout neuf qui l'avait suivi à Paris puis à Amsterdam, et qui était maintenant attaché à un réverbère, à deux cents mètres de là, sur la route. Avant de quitter l'Angleterre, Alex avait étudié le manuel d'utilisation, sidéré par le nombre de gadgets que Smithers était parvenu à dissimuler dans un objet d'apparence aussi anodine. Même les pinces à vélo étaient aimantées ! Alex regarda les grilles du portail s'ouvrir et le camion démarrer.

Oui. Ça pouvait marcher. Il devrait patienter jusqu'à la nuit et miser sur la chance. C'était la dernière chose à laquelle songeraient les gardes. Malgré la difficulté de ce qui l'attendait, Alex se sentit sourire.

Il lui restait à trouver un magasin de costumes à Amsterdam.

Vers vingt et une heures, il faisait noir mais les projecteurs de l'usine, allumés depuis déjà longtemps, transformaient le site en une collision éblouissante de noir et de blanc. Les grilles, les barbelés, les gardes armés, tout était visible à au moins un kilomètre. Cependant, des ombres, des zones d'obscurité offraient une cachette à un individu assez courageux pour s'approcher.

Un camion roulait vers l'usine. Le conducteur hollandais venait du port de Rotterdam. Il ignorait ce qu'il transportait et s'en moquait. Dès son premier jour de travail à la Cray Software Technology, il avait compris qu'il valait mieux ne pas poser de questions.

Le premier des feux tricolores passa au rouge. Il ralentit et s'arrêta. Il ne voyait aucun autre véhicule et cela l'agaçait de devoir attendre, mais il était trop avisé pour se plaindre. Il crut entendre des coups sourds et jeta un coup d'œil dans le rétroviseur latéral. Quelqu'un essayait-il d'attirer son attention ? Non. Personne. Le feu passa au vert. Le chauffeur redémarra.

Comme d'habitude, il immobilisa son camion devant le poste de contrôle, sur la plaque de verre, et baissa sa vitre. Il tendit au garde une carte plastifiée portant sa photo, son nom et son numéro de matricule d'employé. Le chauffeur savait que, pendant ce temps, deux autres gardes allaient inspecter son camion. Il se demandait parfois pourquoi la direction se montrait si pointilleuse sur la sécurité. Après tout, l'usine ne fabriquait que des jeux vidéo. Mais la vigilance n'était sûrement pas superflue quand on songeait à l'espionnage industriel, aux entreprises qui volaient des secrets de fabrication.

Deux gardes firent le tour du camion pendant que le chauffeur rêvassait. Un troisième examinait les photos transmises par la caméra placée sous le véhicule. Le mot GAMESLAYER s'étalait sur le côté, près de la silhouette accroupie d'Omni. Les gardes essayèrent d'ouvrir les portes arrière, qui étaient, tout à fait normalement, fermées à clé. Le troisième examina la cabine pour vérifier que le chauffeur s'y trouvait seul.

L'opération de contrôle se déroulait avec la précision et le tempo d'une routine bien huilée. Les caméras avaient confirmé que personne ne se cachait ni sur le toit ni sous le camion. Les portes arrière étaient verrouillées, le chauffeur sans reproche. L'un des gardes donna le signal et le portail s'ouvrit électroniquement, en glissant de chaque côté. Le chauffeur savait où aller. Au bout de cinquante mètres, il quitta la voie principale et suivit une allée plus étroite qui menait à un quai de déchargement. Une douzaine d'autres véhicules étaient déjà garés là. Le chauffeur coupa le contact, descendit et ferma sa portière à clé. Il avait quelques formalités à remplir. Il remettrait les clés du camion et recevrait en échange un récépissé tamponné avec son heure d'arrivée. Le camion serait déchargé le lendemain.

Le chauffeur s'en alla. Rien ne bougeait. Il n'y avait personne alentour.

Pourtant, si quelqu'un était passé par là, il aurait remarqué une chose surprenante. Sur le flanc du camion, la silhouette noire d'Omni tourna la tête. Du moins c'est ce qu'un passant aurait cru. Mais s'il avait regardé plus attentivement, il aurait vu qu'il y avait en réalité deux silhouettes plaquées sur la carrosserie. L'une était peinte mais l'autre était une personne vivante, bizarrement accrochée au flanc du camion dans la même position que celle de la silhouette peinte.

Alex se laissa silencieusement tomber à terre. Les muscles de ses bras et de ses jambes étaient endoloris. Il n'aurait sans doute pas été capable de résister plus longtemps. Avec le vélo, Smithers lui avait fourni quatre pinces aimantées extrêmement puissantes. Alex s'en était servi pour s'agripper au camion. Deux pinces pour les pieds, deux pour les mains. Il ôta rapidement la tenue noire « ninja » qu'il avait achetée à Amsterdam dans l'après-midi, la roula en boule et la fourra dans une poubelle. Au poste de contrôle, les gardes étaient passés devant lui sans le voir. Habitués à leur routine de contrôle, ils s'attendaient à voir une silhouette noire sur le flanc du camion à côté du logo Gameslayer et c'est ce qu'ils avaient vu. Pour une fois, ils avaient eu tort de croire leurs yeux.

Alex examina les alentours. Il se trouvait dans l'enceinte de l'usine mais sa chance risquait de tourner. Il y aurait d'autres gardes en patrouille, d'autres caméras. Au fond, qu'était-il venu chercher ? Il n'en savait rien mais son flair lui disait que si Damian Cray déployait tant de moyens de sécurité, c'est qu'il avait quelque chose à cacher. Bien sûr, il restait la possibilité que Cray soit parfaitement innocent. C'était une pensée réconfortante.

Alex traversa le site en direction du cube de verre et de métal qui en occupait le centre. Un bourdonnement lui parvint et il plongea dans l'ombre d'un mur. Un véhicule électrique le dépassa, avec trois passagers et une femme en combinaison bleue au volant. Alex s'aperçut qu'une certaine activité régnait un peu plus loin. Une esplanade brillamment éclairée s'étendait derrière l'un des entrepôts. Soudain, une voix résonna dans des haut-parleurs. Une voix d'homme qui parlait en hollandais. Alex ne saisit pas un mot. Il avança plus vite, bien décidé à voir ce qui se passait.

Il découvrit un passage étroit entre deux des bâtiments et courut jusqu'au bout, profitant de la protection et de l'obscurité des murs. À l'extrémité du passage, il arriva devant un escalier de secours en fer derrière lequel il se plaqua, hors d'haleine. Il était caché mais jouissait, entre les marches, d'un point de vue imprenable.

Sous ses yeux s'étendait une sorte de place carrée et goudronnée, bordée de tous côtés par des blocs de bureaux en acier. Le plus grand de ces blocs était le cube qu'Alex avait aperçu de l'extérieur.

Damian Cray se tenait devant, en compagnie d'un homme en blouse blanche avec qui il discutait avec animation. Trois autres personnes se trouvaient juste derrière lui. Même de loin, Cray était reconnaissable à cause de sa petite taille et de ses vêtements de grand couturier. Il était venu assister à une démonstration. Une demi-douzaine de gardes attendaient, postés autour de la place. Des éclairages blancs et crus tombaient de deux miradors qu'Alex n'avait pas remarqués avant.

Mais la chose la plus surprenante était l'avion cargo stationné au milieu de la place. Il fallut un moment à Alex avant d'assimiler ce qu'il voyait. L'avion n'avait pas pu atterrir ici. La place était juste assez grande pour l'engin et il n'y avait aucune piste d'atterrissage sur le site. L'avion avait probablement été transporté en pièces détachées et assemblé ici. Mais pourquoi ? C'était un ancien avion à hélices, aux ailes haut perchées. Deux mots étaient peints en lettres rouges sur le fuselage et sur la queue : MILLENIUM AIR.

Cray regarda sa montre. Une minute plus tard, un haut-parleur émit une nouvelle annonce en hollandais. Toutes les conversations cessèrent et les regards se braquèrent sur l'avion. Un feu avait éclaté dans la cabine principale. Alex vit les flammes étinceler derrière les fenêtres. De la fumée grise commença à s'échapper du fuselage et, soudain, une des hélices s'embrasa. L'incendie parut se répandre en quelques secondes, gagna le moteur, puis une aile. Alex attendait que quelqu'un réagisse. S'il y avait du carburant dans le réservoir, l'appareil allait exploser d'un instant à l'autre. Or personne ne bougeait. Cray hocha la tête.

Tout s'arrêta aussi vite que cela avait commencé. L'homme en blouse blanche dit quelques mots dans un émetteur radio et l'incendie s'éteignit immédiatement. Si vite que, si Alex ne l'avait pas vu de ses propres yeux, jamais il ne l'aurait cru. On n'avait utilisé ni eau ni neige carbonique. Et il ne restait aucune trace de fumée ni de brûlé.

Une seconde auparavant l'avion était la proie des flammes, la seconde suivante il était intact. Aussi simple que ça...

Cray et les trois hommes discutèrent pendant quelques minutes, après quoi ils rentrèrent dans le cube. Les gardes s'éloignèrent de la place et l'avion resta où il était. Alex n'avait pas la moindre idée de ce que signifiait la scène à laquelle il venait d'assister. En tout cas cela n'avait rien à voir avec les ordinateurs et c'était parfaitement inexplicable.

Mais au moins il avait localisé Damian Cray.

Alex attendit le départ des gardes pour sortir de sa cachette. Il fit le tour de la place aussi vite que possible, en prenant soin de rester dans l'obscurité. Certain qu'il était virtuellement impossible de pénétrer dans l'usine, Cray avait commis l'erreur de négliger la sécurité intérieure. Alex n'avait repéré aucune caméra, et les gardes postés sur les miradors ne surveillaient que les abords du site. Pour l'instant, il était donc à l'abri.

Il suivit Cray et les trois hommes à l'intérieur du bâtiment cubique et se retrouva dans une sorte d'immense cage de verre, dont le toit transparent permettait de contempler le ciel nocturne et les trois faux moulins qui se dressaient au loin. Le bâtiment était vide. Mais dans un angle du sol de marbre blanc, un simple trou rond donnait accès à un escalier.

Alex entendit des voix.

Il descendit les marches à pas de loup et s'accroupit sur la dernière, caché derrière l'épaisse rambarde de fer. L'escalier menait directement dans une large salle souterraine.

La salle n'avait pas de cloisons, mais des couloirs qui rayonnaient dans différentes directions. L'architecture évoquait la chambre forte d'une banque ultramoderne. Cependant les somptueux tapis, la cheminée, le mobilier italien et le fabuleux piano à queue Bechstein blanc auraient pu provenir d'un château. Une multitude de téléphones et de moniteurs s'alignaient sur un bureau incurvé. Entièrement diffusé au ras du sol, l'éclairage donnait une atmosphère étrange, dérangeante, car les ombres étaient projetées à l'envers. Un portrait de Damian Cray tenant un caniche blanc dans ses bras occupait un mur entier.

Cray lui-même était assis sur un sofa. Il sirotait un cocktail jaune vif où flottait une cerise embrochée sur un pic. Il saisit la cerise entre ses dents parfaites et la mangea lentement. Les trois hommes étaient là, eux aussi. Cette fois Alex avait la preuve qu'il avait eu raison dès le début et que Cray jouait un rôle central dans toute l'affaire.

Le premier homme était Yassen Gregorovitch. Vêtu d'un jean et d'un col roulé, il était assis sur le tabouret du piano, les jambes croisées. Un deuxième homme, adossé au piano, se tenait à côté de lui. Plus âgé, les cheveux argentés, la peau grêlée, il portait un blazer bleu marine et une cravate rayée qui lui donnaient l'allure d'un petit employé de banque. Ses grandes lunettes semblaient enfoncées dans son visage comme si sa chair était de la glaise humide. Il paraissait nerveux. Derrière les verres de ses lunettes, ses yeux ne cessaient de cligner. Le troisième homme, âgé d'une quarantaine d'années, était d'une beauté ténébreuse : cheveux noirs, yeux gris, mâchoire carrée. Il portait une veste de cuir, une chemise à col ouvert, et semblait satisfait de lui-même.

Cray s'adressait à lui.

— Je vous suis très reconnaissant, M. Roper. Grâce à vous, l'opération Vol d'Aigle va pouvoir se dérouler comme prévu.

Roper ! C'était l'homme que Cray avait rencontré à Paris. La boucle était bouclée. Alex tendit l'oreille pour entendre la suite.

— Je vous en prie, appelez-moi Charlie, dit Roper avec un fort accent américain. Inutile de me remercier, Damian. J'ai été ravi de travailler avec vous.

— J'ai quelques questions, dit Cray à mi-voix en prenant un objet sur la table basse à côté du sofa. (Alex aperçut une sorte de capsule en métal, de la forme et de la taille d'un téléphone mobile). Si j'ai bien compris, le code d'or change chaque jour. Et l'on peut supposer que le flash-drive est normalement programmé avec les codes du jour. Mais si l'opération Vol d'Aigle doit avoir lieu dans quarante-huit heures ?

— Vous le branchez et il se met à jour tout seul, expliqua Roper avec un sourire nonchalant. C'est toute la beauté de la chose. D'abord il s'infiltre dans les systèmes de sécurité, ensuite il récupère les nouveaux codes... comme s'il piquait un bonbon à un enfant. Dès que vous aurez les nouveaux codes, vous les transmettrez par Milstar et tout sera prêt. Votre unique souci sera de poser l'index sur le bouton.

— Pour ça, la question est réglée, dit Cray.

— Dans ce cas, il ne me reste plus qu'à m'en aller.

— Encore quelques minutes de votre précieux temps, M. Roper... Charlie, dit Cray. (Il but une gorgée de son cocktail, se lécha les lèvres et reposa son verre.) Comment être sûr que le flash-drive fonctionnera ?

— Vous avez ma parole, répondit Roper. D'ailleurs, vous m'avez généreusement payé pour ça.

— En effet. Un demi-million de dollars d'avance. Et deux millions maintenant. Toutefois... (Cray s'interrompit et fit la moue.) J'ai encore une petite inquiétude.

À force d'être accroupi, Alex avait les jambes engourdies. Il s'étira doucement. Il regrettait de ne pas tout comprendre. Il savait qu'un flash-drive est un outil de stockage de données très puissant utilisé en informatique. Mais que (ou qui) pouvait bien être Milstar ? Et l'opération Vol d'Aigle ?

— Quel est le problème ? demanda Roper avec désinvolture.

— Je crains que ce soit vous, monsieur Roper. Je me demande si je peux encore vous faire confiance.

— Écoutez, Damian, dit Roper d'un ton courroucé. Nous avions conclu un marché. J'ai travaillé ici avec vos techniciens. Je leur ai fourni les données dont ils avaient besoin pour charger le flash-drive, et mon rôle s'arrête là. Par quel moyen vous irez au salon des VIP et comment vous activerez le système, ça vous regarde. Mais vous me devez deux millions de dollars, et ce journaliste... dont j'ai oublié le nom, ne change rien.

— L'argent du sang, dit Cray.

— Comment ?

— C'est le nom qu'on donne à l'argent payé aux traîtres.

— Je ne suis pas un traître ! gronda Roper. J'avais besoin de cet argent, voilà tout. Je n'ai pas trahi mon pays. Alors ne me parlez pas sur ce ton. Payez-moi ce que vous me devez et laissez-moi partir d'ici.

— Bien sûr que je vais vous payer ce que je vous dois, sourit Cray. Il faut m'excuser, Charlie. Je pensais à voix haute.

Il esquissa un geste vague derrière lui. L'Américain tourna la tête dans la direction indiquée et vit – en même temps qu'Alex – une alcôve aménagée dans un des murs. On aurait dit une bouteille géante : la cloison de derrière et la vitre de devant étaient incurvées. À l'intérieur, il aperçut une table et, sur la table, un attaché-case.

— Votre argent est là, reprit Cray.

— Merci.

Pendant toute cette conversation, ni Yassen Gregorovitch ni l'homme aux lunettes n'avaient prononcé un mot. Mais ils observèrent avec attention l'Américain approcher de l'alcôve. La porte devait probablement être équipée d'une sorte de détecteur car elle s'ouvrit automatiquement. Roper entra, avança jusqu'à la table et ouvrit l'attaché-case. Alex entendit distinctement le clic des serrures.

Roper fit volte-face et lança :

— Vous avez un curieux sens de l'humour ! La valise est vide.

Cray sourit.

— Ne vous inquiétez pas. Je vais la remplir.

Il tendit la main et pressa un bouton sur la table basse. Il y eut un chuintement et la porte de l'alcôve se referma en glissant silencieusement.

— Hé ! s'écria Roper.

Pendant un instant, rien ne se produisit. Alex s'aperçut qu'il retenait son souffle et que son cœur battait deux fois plus vite que la normale. Puis quelque chose de brillant et d'argenté tomba du plafond dans l'attaché-case. Roper ramassa une petite pièce de monnaie. Un *quarter* de dollar, soit vingt-cinq *cents*.

— Cray ! hurla Roper. À quoi jouez-vous ?

D'autres pièces se mirent à tomber dans l'attaché-case. Alex ne voyait pas précisément ce qui se passait mais il devina que l'alcôve était bel et bien une sorte de bouteille, totalement close hormis le trou du haut. Les pièces de monnaie tombaient par ce goulot et le flot se transforma bientôt en cascade. En quelques secondes l'attaché-case fut rempli, et d'autres pièces continuaient de dégringoler, de s'amasser sur la table, sur le sol.

Roper eut peut-être un pressentiment de ce qui l'attendait. Il se fraya un chemin sous le déluge de pièces et tambourina contre la porte vitrée.

— Arrêtez ! Laissez-moi sortir d'ici !

— Mais je ne vous ai pas versé tout votre dû, M. Roper, répondit Cray. Vous disiez que je vous devais deux millions de dollars.

Subitement la cascade se transforma en torrent. Des milliers et des milliers de pièces se déversèrent dans l'alcôve-bouteille. Roper poussa un cri, s'abritant la tête de ses deux bras. Alex fit un rapide calcul. Le règlement s'effectuait en pièces de vingt-cinq *cents* – le *quarter*, la plus petite pièce américaine. Combien cela en faisait-il ? Sur le sol, le niveau des pièces montait maintenant jusqu'aux genoux de Roper. Et le torrent s'intensifiait. Un véritable déluge s'abattit sur l'Américain, le cliquetis métallique étouffant ses cris. Alex aurait voulu se détourner mais son regard était comme aimanté, ses yeux écarquillés d'horreur.

C'est à peine s'il pouvait encore distinguer Roper, qui gesticulait follement pour chasser les pièces comme on chasse des guêpes. Ses bras demeuraient encore un peu visibles mais son corps et son visage avaient disparu. Il martela la vitre de son poing. Une tache de sang y apparut. Mais le verre était vraisemblablement blindé. Les pièces s'amoncelaient, remplissaient le moindre centimètre cube. De plus en plus haut. Roper était enseveli, scellé à l'intérieur de la masse brillante. S'il criait encore, on ne l'entendait plus.

Et soudain ce fut fini. Les dernières pièces tombèrent. Une tombe de huit millions de quarters. Alex frissonna, cherchant à imaginer l'effet que cela faisait d'être ainsi pris au piège. Comment était mort l'Américain ? Avait-il péri étouffé, ou bien écrasé par le poids des pièces ? En tout cas, il était mort. Cela ne faisait aucun doute. L'argent du sang ! La mauvaise plaisanterie de Cray n'aurait pu être plus juste.

Cray éclata de rire.

— Amusant, non !

— Pourquoi l'avez-vous tué ? demanda l'homme aux lunettes, prenant la parole pour la première fois.

Il avait un accent hollandais. Sa voix tremblait.

— Parce qu'il était négligent, Henryk. On peut commettre des erreurs, mais pas à ce stade. Et puis j'ai tenu parole. Je lui avais promis deux millions de dollars, il les a eus. Si vous voulez ouvrir la porte, c'est la somme que vous trouverez, au centime près.

— Non ! s'écria le dénommé Henryk. N'ouvrez pas la porte.

— Vous avez raison. Cela causerait quelque désordre, sourit Cray. Bien. Le problème Roper est réglé, nous avons le flash-drive, et tout est prêt. Si nous buvions un autre verre ?

Toujours accroupi au bas de l'escalier, Alex serra les dents, s'efforçant de ne pas céder à la panique. Son instinct lui commandait de déguerpir au plus vite, mais avec prudence. Ce qu'il venait de voir lui paraissait incroyable. Maintenant, au moins, sa mission était claire. Il devait sortir de l'usine, quitter Sloterdijk et regagner l'Angleterre. Que cela lui plaise ou non, il lui fallait retourner au MI6.

Alex avait désormais une certitude : Damian Cray était à la fois fou et diabolique. Tous ses grands airs, ses bonnes œuvres et ses discours contre la violence ne constituaient qu'une façade. Il préparait un mystérieux plan, baptisé « Opération Vol d'Aigle », programmé dans deux jours. Ce plan impliquait un système de sécurité et un salon pour VIP. Projetait-il de pénétrer dans une ambassade ? Peu importait. Pour Alex, l'essentiel était de convaincre M. Blunt et

Mme Jones d'arrêter Cray. En apprenant qu'il avait tué un certain Charlie Roper, de la NSA, ils n'hésiteraient plus.

Mais Alex devait d'abord sortir d'ici.

Il se retourna lentement... et découvrit une haute silhouette qui le dominait. Un garde descendait l'escalier. Alex voulut réagir mais c'était trop tard. Le garde l'avait vu. Il tenait une arme. Alex leva lentement les mains. Le garde lui fit signe et Alex se leva. De l'autre côté de la pièce, Damian Cray le reconnut. Son visage s'éclaira de plaisir.

— Alex Rider ! J'espérais bien te revoir. Quelle agréable surprise ! Viens boire un verre avec nous et laisse-moi t'expliquer comment tu vas mourir.

10

DOULEUR DE SYNTHÈSE

— Yassen m'a parlé de toi, dit Cray. Ainsi tu as travaillé pour le MI6 ? J'avoue que c'est une idée très originale. Tu es en mission en ce moment ? Ce sont eux qui t'envoient m'espionner ?

Alex resta muet.

— Si tu ne réponds pas à mes questions, je vais commencer à songer aux vilaines choses que je pourrais te faire. Ou demander à Yassen de le faire. C'est pour ça que je le paie.

— Le MI6 n'est au courant de rien, intervint Yassen.

Après le départ du garde et du dénommé Henryk, Alex était resté seul avec le Russe et Cray. Assis sur le sofa, Alex tenait dans sa main un verre de lait chocolató que Cray avait insisté pour lui servir. Juché sur le tabouret de piano, les jambes croisées, l'air parfaitement détendu, Cray sirotait un autre cocktail.

— Les services de renseignements n'ont aucun moyen de savoir quoi que ce soit à notre sujet, poursuivit Yassen. Et s'ils savaient quelque chose, ils n'auraient pas envoyé Alex.

— Alors pourquoi était-il au Dôme des Loisirs ? demanda Cray en se tournant vers Alex. Je ne crois pas que tu aies fait tout ce chemin pour me demander un autographe. En fait, Alex, je suis assez content de te voir. J'avais l'intention de te rendre une petite visite un jour ou l'autre. Tu as complètement gâché le lancement du Gameslayer. Tu es beaucoup trop futé. J'étais très fâché contre toi. Et malgré mon emploi du temps surchargé, je voulais arranger un petit accident...

— Comme celui que vous avez arrangé pour la journaliste à la sortie de Hyde Park ? demanda Alex.

— Cette femme était une nuisance. Elle posait des questions insolentes. Je déteste les journalistes et les gamins trop malins. Je suis sincère en disant que je suis ravi de ta présence ici. Ça me facilite grandement la vie.

— Vous ne pouvez rien contre moi, se rebiffa Alex. Le MI6 sait où je suis. Ils sont au courant pour l'opération Vol d'Aigle. Vous avez peut-être les codes mais jamais vous ne pourrez les utiliser. Si je ne donne pas de mes nouvelles ce soir, votre usine sera encerclée avant le matin et vous irez en prison...

Cray jeta un coup d'œil à Yassen, qui secoua la tête.

— Il ment. Il a dû nous entendre parler. Il ne sait rien.

Cray se pourlécha les lèvres. Alex comprit à quel point il prenait plaisir à tout ceci et à quel point il était fou. Cet homme avait perdu le contact avec le monde réel. Quelle que soit la nature de son projet, on pouvait supposer qu'il était démesuré. Et probablement meurtrier.

— Cela ne change rien, dit Cray. L'opération Vol d'Aigle aura lieu dans moins de quarante-huit heures. Je suis d'accord avec vous, Yassen. Ce garçon ne sait rien. Il est insignifiant. Que je le tue ou non ne fera aucune différence.

— Vous n'êtes pas obligé de le liquider, objecta Yassen.

Son intervention étonna Alex. Yassen avait tué son oncle Ian et il était son pire ennemi. Pourtant, pour la seconde fois, il essayait de le protéger.

— Il vous suffit de l'enfermer jusqu'à ce que tout soit terminé.

— C'est vrai, acquiesça Cray. Je ne suis pas obligé de le tuer. Mais j'en ai envie. J'en ai même une envie folle, dit-il en se levant pour s'approcher d'Alex. Tu te souviens de ce que je t'ai dit à Londres, lors de la démonstration, au sujet de la douleur de synthèse ? Elle permet aux joueurs de ressentir les émotions du héros. Toutes ses émotions. Notamment celles qui sont associées à la souffrance et à la mort. Tu te demandes probablement comment j'ai pu programmer cela dans un logiciel. Eh bien, mon cher Alex, j'ai utilisé des volontaires tels que toi.

— Je ne suis pas volontaire, marmonna Alex.

— Les autres non plus... Mais ils m'ont quand même aidé. Comme tu vas m'aider à ton tour. Et ta récompense sera la fin de tes souffrances. Le confort et la sérénité de la mort... Emmenez-le, ajouta Cray d'un ton tranchant.

Entrés à l'insu d'Alex, deux gardes surgirent de l'ombre et l'empoignèrent. Il voulut se débattre mais ils étaient trop forts pour lui. Ils le soulevèrent du sofa et l'entraînèrent dans l'un des couloirs.

Alex parvint à jeter un dernier coup d'œil en arrière. Cray l'avait déjà oublié : il tenait le flash-drive dans ses mains et l'admirait. Mais Yassen l'avait suivi des yeux et paraissait inquiet. Une porte automatique s'ouvrit avec un chuintement d'air comprimé et les gardes l'entraînèrent.

La cellule se trouvait à l'extrémité d'un autre couloir souterrain. Les gardes y jetèrent Alex puis attendirent qu'il se retourne vers eux. Celui qui l'avait surpris dans l'escalier dit quelques mots avec un lourd accent hollandais.

— La porte ferme et reste fermée. Tu découvres la sortie ou tu meurs de faim.

Et ce fut tout. La porte claqua. Alex entendit deux verrous tirés brutalement, puis les pas des gardes qui s'éloignaient. Soudain tout fut silencieux. Il était seul.

Il regarda autour de lui. La cellule ressemblait à une boîte métallique de cinq mètres sur deux avec une couchette, sans point d'eau ni fenêtre. La porte était encastrée dans le mur, de telle façon qu'il n'y avait aucun interstice, pas même un trou de serrure. Jamais Alex ne s'était trouvé dans une situation aussi inextricable. Cray ne l'avait pas cru ; à peine s'il l'avait écouté. Le fait qu'Alex appartienne ou non au MI6 ne le troublait nullement. Cette fois, Alex s'était fourré dans une sale affaire, sans le MI6 pour le soutenir et sans aucun gadget pour l'aider à sortir de sa cellule. Il avait transporté le VTT de Smithers de Londres à Paris, puis de Paris à Amsterdam, mais en ce moment il était attaché à un réverbère devant la gare centrale, où il finirait par rouiller ou être volé. Jack savait qu'Alex projetait de s'introduire dans l'usine, mais à supposer qu'elle alerte les autorités de sa disparition, comment le localiserait-on ? Le désespoir s'abattit sur lui. Il n'avait plus la force de lutter.

Pour ajouter encore à son découragement, il n'avait quasiment rien appris. Pourquoi Cray avait-il investi des sommes aussi considérables dans le Gameslayer ? Pourquoi avait-il besoin d'un flash-drive ? Que faisait l'avion au milieu de l'usine ? Et, surtout, que complotait Cray ? L'opération Vol d'Aigle devait avoir lieu dans deux jours, mais où ? Et en quoi consistait-elle ?

Alex s'obligea à se maîtriser. Après tout, il s'était déjà trouvé emprisonné. Le plus important était de réagir, ne pas se laisser abattre. Cray avait déjà commis des erreurs. Ne serait-ce qu'en se présentant sous son nom lorsque Alex lui avait téléphoné de Saint-Pierre. Certes cet individu, puissant, célèbre et richissime, projetait sans doute une opération de grande envergure. Cependant il n'était pas aussi intelligent qu'il le croyait. Alex pouvait encore le battre.

Mais par où commencer ? Cray l'avait enfermé dans cette cellule pour expérimenter ce qu'il appelait la douleur de synthèse. Un terme pas très alléchant. Et qu'avait dit le garde ? « Tu découvres la sortie ou tu meurs de faim. » D'accord, mais il n'y avait *pas* de sortie. Alex passa les mains sur les murs. De l'acier. Il réexamina la porte. Pas une faille. Il leva les yeux au plafond, où une simple ampoule brûlait derrière une épaisse plaque de verre. Il ne restait que la couchette...

Dessous, il décela la trappe aménagée dans le mur, une sorte de chatière, juste assez grande pour un corps humain. Avec précaution, craignant qu'elle ne soit piégée, il tendit la main et poussa. L'abattant métallique pivota, ouvrant sur un tunnel obscur. S'il y pénétrait en rampant, il se retrouverait dans un espace exigu, sans la moindre lumière et sans la certitude que le tunnel menait bien quelque part. Le courage lui manquait mais il n'avait pas le choix. Alex examina la cellule une dernière fois, se mit à genoux et poussa la trappe. Elle s'ouvrit devant lui et lui massa le dos quand il rampa dans le tunnel. Puis il la sentit heurter ses talons et, aussitôt après, entendit un léger clic. Quel était ce bruit ? Il ne voyait rien. Il leva la main devant ses yeux. Elle semblait avoir disparu. Il faisait trop noir. En étendant le bras, il buta contre une paroi. Quelle poisse ! Il s'était fait piéger et avait choisi la mauvaise sortie.

Alex voulut rebrousser chemin et s'aperçut que la trappe s'était refermée. Il eut beau la pilonner de ses deux pieds, elle ne bougea pas. Une panique totale, incontrôlable, s'empara de lui. Il était enterré vivant, dans un noir absolu, sans air. Voilà ce que Cray entendait par « douleur de synthèse » : une mort trop hideuse pour être imaginable.

Alex perdit la tête.

Incapable de se maîtriser, il se mit à hurler, à marteler de ses deux poings les parois métalliques de son cercueil. Il suffoquait.

Soudain, sa main heurta une section de la paroi qui se déroba. Une autre trappe ! Au bord de l'asphyxie, il se retourna et se faufila dans un second tunnel, aussi noir et glacial que le premier. Mais au moins il pouvait maintenant s'accrocher à la lueur d'espoir qui s'était allumée en lui. Il existait une issue. S'il parvenait à contrôler sa panique, il lui restait une chance de trouver son chemin vers la lumière.

Dans le second tunnel, plus long, Alex progressait en ondulant comme un serpent. Il se força à ralentir. Comme il avançait à l'aveuglette, si jamais il y avait un trou, il risquait d'y plonger avant même de comprendre ce qu'il lui arrivait. Tout en rampant, il tapotait les parois, cherchant d'autres passages possibles. Sa tête heurta quelque chose de dur et il jura. Proférer des grossièretés lui fit du bien. Il trouva agréable de diriger sa haine contre Damian Cray. Et le son de sa voix lui rappela qu'il était en vie.

Il s'était cogné contre une échelle. À tâtons, il chercha l'ouverture qui devait se situer au-dessus de ses épaules, puis roula sur lui-même et se contorsionna pour gravir les échelons, gardant une main tendue au-dessus de sa tête pour prévenir les obstacles. Justement, sa main rencontra un panneau et il poussa. À son grand soulagement, la lumière l'aveugla. Une autre trappe débouchait sur une vaste salle brillamment éclairée. Ragaillardi, il monta les derniers barreaux de l'échelle et se faufila dans l'ouverture.

Alex inspira à pleins poumons l'air tiède. Sa panique s'estompa. Il leva les yeux sur ce qui l'entourait.

Il était agenouillé sur un sol couvert de paille, dans une salle baignant dans une lumière jaune. Trois des murs semblaient avoir été construits avec d'énormes blocs de pierre. Des torches enflammées étaient fixées à l'oblique sur des supports en fer. Des portes d'au moins dix mètres de haut se dressaient devant lui. En bois massif, avec des fermetures en acier et une tête immense sculptée sur le panneau : une sorte de dieu mexicain, aux yeux ronds comme des soucoupes et aux dents massives. Alex avait déjà vu cette tête mais il lui fallut plusieurs secondes avant de se rappeler où. Alors il comprit très exactement ce qui l'attendait, et comment Cray avait programmé la douleur de synthèse.

Les portes étaient représentées au début du jeu du Serpent à Plumes. Quand Alex l'avait testé, une image de synthèse était apparue sur un écran géant, sous la forme en deux dimensions de son sosie. Mais Cray avait également construit une réplique exacte et grandeur nature du jeu. Alex tendit la main pour toucher l'un des murs. Bien entendu il ne s'agissait pas de pierre véritable mais d'une sorte de plastique durci. L'ensemble ressemblait à ces décors reconstitués de Disneyland. Un monde ancien reproduit avec les matériaux modernes les plus sophistiqués. Jamais Alex n'aurait cru cela possible, mais il savait maintenant, avec une atroce certitude, qu'une fois les portes ouvertes il pénétrerait dans une reproduction parfaite du jeu. Et ceci impliquait évidemment de relever les mêmes défis. À cette différence que, cette fois, tout serait réel : les flammes, l'acide, les lances et, s'il commettait une erreur, la mort.

Cray lui avait dit avoir utilisé d'autres « volontaires ». On les avait probablement filmés tandis qu'ils affrontaient les différents obstacles. Pendant ce temps, leurs émotions étaient enregistrées puis numérisées et programmées dans le logiciel. Quelle incroyable perversité ! Alex comprit que les tunnels obscurs qui l'avaient conduit ici faisaient eux-mêmes partie du défi. L'épreuve avait déjà commencé.

Il resta immobile. Il avait besoin de réfléchir, de se rappeler le plus de détails possible du Serpent à Plumes. Celui-ci comportait cinq zones. D'abord une sorte de temple, avec une arbalète et une épée cachées dans les parois. Ces armes existeraient-elles dans la version réelle ? Après le temple venait une fosse et son monstre volant : mi-papillon, mi-dragon. Ensuite, un long corridor truffé de lances qui surgissaient des murs. Puis la jungle, grouillante de serpents métalliques. Puis le labyrinthe de miroirs, gardé par des dieux aztèques. Et enfin le bassin de feu, porte de sortie pour le niveau suivant.

Un bassin de feu. S'il était reconstitué ici, nul doute qu'Alex y périrait. Les paroles de Cray restaient gravées dans sa mémoire : *Le confort et la sérénité de la mort.* Cette maison de fous n'avait aucune issue. En supposant qu'Alex parvienne à survivre aux cinq zones, on lui permettrait de conclure en se jetant dans les flammes.

Une vague de haine monta en lui. Il en sentait le

goût amer dans sa bouche. Damian Cray était pire que le diable.

Que faire ? Impossible de rebrousser chemin par les tunnels. D'ailleurs, Alex n'était pas sûr qu'il aurait eu le courage d'essayer. Une seule option s'offrait à lui : continuer. La première fois, il avait failli gagner. Cela lui laissait une petite lueur d'espoir. Mais, d'un autre côté, il existait une différence considérable entre manipuler une manette de jeu et mener soi-même l'action. Il ne pouvait pas se mouvoir ni réagir avec la même rapidité qu'un personnage virtuel. Et il n'aurait pas droit non plus à des vies supplémentaires. Une fois mort, il le resterait.

Alex se redressa. Aussitôt les portes s'ouvrirent silencieusement sur le temple. Il se demanda si sa progression était surveillée. Pouvait-il au moins compter sur un élément de surprise ?

Il franchit les portes. Le temple était tel qu'il se le rappelait : un vaste espace aux murs de pierre couverts de sculptures étranges, et de hautes colonnades au pied desquelles se tenaient des statues agenouillées. Même les vitraux représentant des ovnis au-dessus de champs de blé étaient là. Des caméras pivotaient pour le suivre et probablement pour enregistrer sa progression. De la musique d'orgue, plus moderne que religieuse, résonnait dans le temple. Alex frissonna. Il avait du mal à accepter la réalité de ce qui lui arrivait.

Il avança à l'intérieur du temple, tous les sens en

alerte, guettant l'attaque qui pouvait surgir de n'importe où. Il regrettait maintenant de n'avoir pas joué au Serpent à Plumes avec plus d'attention. Il avait traversé les zones si précipitamment que la moitié des obstacles lui avaient sans doute échappé. Ses pas résonnaient sur le sol argenté. Devant lui, des escaliers rouillés qui évoquaient un sous-marin, ou bien un navire retourné et submergé, montaient en spirale vers le plafond. Il songea un instant à s'aventurer sur l'un d'eux, mais il n'avait pas choisi cette voie pendant le jeu et jugea plus prudent de ne pas courir le risque maintenant. Mieux valait s'en tenir à ce qu'il connaissait.

L'alcôve abritant l'arbalète se trouvait sous une chaire de bois, sculptée en forme de dragon et presque entièrement recouverte de ce qui ressemblait à du lierre. Mais Alex savait que la plante grimpante était électrifiée. L'arme qu'il convoitait reposait contre la pierre et seule une trouée dans la verdure permettait de l'atteindre. L'arbalète valait-elle le risque ? Alex banda ses muscles, prêt à s'en saisir, puis soudain il plongea en avant. Une demi-seconde de retard lui aurait été fatale. Il s'était souvenu du boomerang rasoir en même temps que lui parvenait un sifflement. Il avait eu le temps d'associer le souvenir et le son, mais pas de se préparer. Son atterrissage brutal à plat ventre lui coupa le souffle. Il y eut un éclair et une série d'étincelles, puis il ressentit une brûlure sur ses épaules et comprit qu'il n'avait pas été assez rapide. Le boomerang lui avait tailladé son tee-shirt et légèrement éraflé la peau. Il l'avait échappé belle. Un centimètre de plus et il n'aurait même pas accédé à la deuxième zone.

Silencieuses, les caméras l'espionnaient. Elles enregistraient tout. Un jour, les données seraient intégrées au logiciel de Cray, peut-être dans la version Serpent à Plumes 2.

Alex s'assit et essaya de rajuster son tee-shirt déchiré. Le boomerang lui avait rendu au moins un service : en touchant le lierre, la lame avait provoqué un court-circuit. Il suffit à Alex de tendre la main pour prendre l'arbalète dans l'alcôve. C'était un instrument très ancien, fait de bois et de fer, mais en parfait état de marche. Pourtant Cray avait triché. L'arme comprenait bien une flèche mais sans pointe. Son extrémité émoussée ne pouvait guère faire de mal.

Alex décida néanmoins de l'emporter. Il quitta le coin de l'alcôve pour s'approcher du mur où il savait trouver l'épée, à une vingtaine de mètres au-dessus de lui. Certaines pierres disjointes et des prises indiquaient la voie pour y accéder. Alex s'apprêtait à escalader la paroi quand, soudain, il se ravisa. Il avait déjà échappé de peu à la mort. Ce mur était probablement piégé. Il y avait fort à parier que, à mi-parcours de son ascension, une pierre se détacherait. S'il tombait, il se briserait une jambe. Et Cray se régalerait de le voir gémir de douleur, immobilisé et impuissant, tandis qu'une volée de projectiles viendrait l'achever. D'ailleurs l'épée n'avait sans doute pas de lame.

En réfléchissant à tout ceci, Alex s'aperçut qu'il détenait la solution du problème. Il savait comment triompher du monde simulé de Cray.

Chaque jeu vidéo se compose d'une série d'événements programmés où rien n'est laissé au hasard. Quand Alex avait joué dans le Dôme, il avait récupéré l'arbalète et s'en était servi pour tuer le monstre qui l'attaquait. Dans le même ordre d'idées, les portes cadenassées avaient des clés, les poisons des antidotes, etc. Quel que soit le nombre de choix qui semblaient s'offrir au joueur, celui-ci obéissait toujours à des règles secrètes.

Mais Alex n'avait pas été programmé. Un être humain pouvait agir à sa guise. Cela lui avait coûté un tee-shirt et une belle frayeur, mais il avait retenu la leçon. S'il n'avait pas cherché à s'emparer de l'arbalète, il ne se serait pas exposé aux lames mortelles du boomerang. Et escalader le mur pour décrocher l'épée le mettrait en danger parce qu'il ferait exactement ce qu'on attendait de lui.

Pour sortir du monde créé à son intention par Cray, il devait faire tout ce que l'on n'attendait *pas* de lui.

En d'autres termes, il devait tricher.

Et il allait commencer tout de suite.

Il s'approcha d'une des torches enflammées pour

essayer de la décrocher du mur et fut étonné de voir que l'ensemble était boulonné au mur. Cray avait pensé à tout. Toutefois, s'il pouvait fixer les torches, il ne pouvait contrôler les flammes elles-mêmes. Alex ôta son tee-shirt, l'entortilla au bout de la flèche de l'arbalète et l'enflamma, très content de lui. Cette fois il disposait d'une arme qui n'avait pas été programmée.

La porte de sortie se trouvait à l'autre extrémité du temple. Le joueur était supposé s'y rendre directement. Au lieu de cela, Alex fit un détour en longeant les murs, évitant les pièges qui le guettaient. Plus loin, il apercevait la deuxième salle, constituée d'un trou entouré de colonnes qui montaient des profondeurs et s'arrêtaient au ras du sol, et où tombait une pluie battante. Il franchit la porte et s'arrêta sur un étroit rebord. Les sommets des colonnes, à peine plus larges que des assiettes à soupe, lui offraient un chemin de pierres de gué au-dessus du vide. Alex se souvint du monstre ailé qui l'avait attaqué. Il leva les yeux et vit, juste au-dessus de sa tête, presque perdu dans la pénombre, un fil de nylon reliant les deux portes. Il leva la flèche enflammée.

Le fil de nylon s'embrasa aussitôt et se rompit. Cray avait construit une version robot du monstre du jeu. Celui-ci aurait fondu sur Alex et l'aurait précipité dans le vide. Il regarda avec une tranquille satisfaction le monstre dégringoler du plafond et rester suspendu devant lui, fatras de métal et de plumes, plus proche du perroquet mort que du monstre mythique.

La voie était donc dégagée, mais la pluie continuait de tomber à verse, projetée par un système d'arrosage invisible, rendant les pierres de gué glissantes. Jamais le sosie informatisé d'Alex n'aurait pu ôter ses chaussures pour avoir une meilleure prise. Lui enleva rapidement ses tennis, les attacha par les lacets et les mit autour de son cou. L'astuce consistait à aller vite : ne pas s'arrêter ni regarder en bas. Il prit sa respiration et s'élança. La pluie l'aveuglait. Le haut des colonnes était juste assez large pour ses pieds. À la dernière, il faillit perdre l'équilibre. Mais rien ne l'obligeait à continuer jusqu'au bout en sautant. Il pouvait se mouvoir d'une manière interdite à son double. Il se jeta en avant, les bras tendus, et laissa son élan le propulser en lieu sûr. Son torse heurta le sol et il s'y accrocha, ramenant ses jambes par-dessus le bord du trou.

Il avait réussi.

Un couloir étroit aux parois ornées d'horribles visages aztèques partait sur la gauche. Alex se rappela comment son double avait couru très vite dans ce couloir, esquivant la grêle de lances. Au sol coulait une sorte de ruisseau fumant.

De l'acide ! Et quoi encore ?

Alex avait besoin d'une autre arme et une idée lui vint. Il ôta ses chaussettes, les roula en boule et les jeta dans le couloir. Comme il l'avait espéré, le mouvement suffit à déclencher les détecteurs qui contrôlaient les projectiles. De courtes lances de bois jaillirent des bouches des têtes aztèques à une vitesse prodigieuse et se fichèrent dans le mur opposé. L'une d'elles se brisa en deux. Alex la ramassa et en tâta la pointe aiguisée. Exactement ce qu'il lui fallait ! Il la glissa dans la ceinture de son pantalon. Maintenant il avait une vraie flèche pour son arbalète.

Le jeu vidéo était programmé de façon à ce qu'il n'y ait qu'une seule voie pour avancer. Alex avait échappé aux lances et au ruisseau d'acide assez aisément pendant le jeu, mais il était conscient que ce serait nettement plus difficile dans cette grotesque version en trois dimensions. Un seul faux pas et il mourrait. Il s'imagina barbotant dans l'acide ou criblé de lances. Non, il devait forcément exister un autre moyen.

Alex se força à réfléchir. Ignorer les règles ! Ces trois mots tournoyaient inlassablement dans sa tête. Suivre le couloir ne représentait pas une bonne option. Mais en hauteur ? Il remit ses chaussures et fit un pas d'essai. Les lances les plus proches de l'entrée avaient été tirées. Il était en sécurité dès lors qu'il ne s'engageait pas trop loin dans le couloir. Il cala l'arbalète sur son épaule puis s'agrippa des deux mains au mur pour s'y hisser. Les têtes de dieux aztèques offraient des prises parfaites. Il ne commença à avancer dans le couloir qu'une fois parvenu tout en haut du mur, loin au-dessus du sol et du danger. Il progressait pas à pas. Il arriva bientôt à la hauteur d'une caméra fixée dans le plafond, et en arracha le fil en souriant. Comme le fil était long, il décida de le garder en réserve.

Parvenu à l'extrémité du couloir, Alex descendit du mur pour aborder la quatrième zone. La jungle. Il fut étonné de constater que la végétation dense et étouffante était bien réelle. Il s'était attendu à du plastique et à du papier. L'air était moite, le sol humide et spongieux. Quels pièges le guettaient ici ? Il se rappelait les faux serpents qu'il avait aisément évités pendant le jeu et chercha fiévreusement des rails qui pourraient lancer contre lui des projectiles similaires.

Pas de rails. Alex fit un autre pas et s'arrêta, paralysé par l'horreur.

Un serpent ! Un serpent bien réel, comme la végétation alentour. Large comme un homme et long de vingt mètres, immobile dans un tapis d'herbes hautes. Ses yeux étaient deux diamants noirs. Pendant une brève seconde, Alex le crut mort. Mais lorsqu'il darda sa langue et que tout son corps ondula, il sut qu'il avait devant lui une chose vivante, comme on n'en rencontre que dans les cauchemars.

Le serpent se trouvait enchâssé dans une extraordinaire combinaison. Alex ignorait combien de temps le malheureux animal pourrait survivre emmailloté ainsi. Aussi terrifiante que fût cette étrange créature, il ne put s'empêcher d'éprouver un élan de pitié pour elle. La combinaison se composait de barbelés enroulés autour de son corps, avec des pointes et des lames de rasoir soudées dessus, depuis le cou jusqu'à la queue. Dans son sillage, Alex aperçut des dizaines de sillons creusés par les barbelés dans le sol tendre. Tout ce que le serpent touchait, il le tailladait. Il ne pouvait faire autrement. Et le serpent avançait vers Alex.

Même s'il l'avait voulu, il n'aurait pu bouger tant la peur le paralysait. Mais quelque chose lui souffla que l'immobilité était sa seule chance. Le serpent devait être une sorte de boa constrictor. Une information utile, surgie d'un lointain cours de biologie lui revint en mémoire. Ce serpent mangeait principalement des oiseaux et des singes. Il repérait ses victimes à l'odeur et les étouffait en s'enroulant autour d'elles. Cependant, Alex savait que même si le serpent l'attaquait, il ne périrait pas d'étouffement mais taillé en pièces par les pointes et les lames de rasoir.

L'animal se rapprochait en ondulations régulières, métalliques, étincelantes. Un mètre... Très lentement, Alex prit l'arbalète, tira la tige d'acier noir pour l'armer, puis chercha le morceau de lance glissé dans sa ceinture. Il s'y trouvait toujours. S'efforçant de ne donner aucune raison au serpent de l'attaquer, il engagea la flèche improvisée dans la crosse. Par chance, elle avait juste la bonne longueur.

Le joueur du Serpent à Plumes n'était pas censé utiliser une arme dans cette zone. Cela ne faisait pas partie de la programmation. Pourtant Alex avait réussi à conserver l'arbalète et à la charger.

Il hurla. Il ne put se retenir. Le serpent venait de se jeter en avant. Les lames de rasoir entaillèrent le bout de sa tennis, à quelques millimètres de ses orteils. Alex réagit impulsivement en lui donnant un coup de pied. Le serpent recula. Des flammes noires brillèrent dans ses yeux. Sa langue pointa. Il s'apprêtait à se jeter sur lui. Alex ajusta l'arbalète et tira. Il ne pouvait rien faire d'autre. La flèche pénétra dans la gueule béante du serpent et poursuivit sa course. Alex sauta en arrière pour éviter les convulsions de l'animal, qui se tordait, donnait des coups de queue, tailladant les broussailles les plus proches en lambeaux. Puis il retomba, inerte. Mort. Alex ne regretta pas de l'avoir tué. Le supplice infligé par Cray au serpent était révoltant, et il était heureux de l'en avoir délivré.

Il ne restait plus qu'une zone : le labyrinthe de miroirs. Alex savait que des dieux aztèques l'y attendaient. Et probablement des gardes en costume bizarre. En supposant qu'il parvienne à les passer, il devrait ensuite affronter le bassin de feu. Mais il en avait assez. Au diable Damian Cray ! Alex leva les yeux. Il avait mis hors service une des caméras et n'en vit pas d'autre dans les parages. Il se trouvait donc dans un secteur aveugle de ce terrain de jeu dément-iel et cela lui convenait à merveille.

Le moment était venu de trouver une sortie.

11

LA VÉRITÉ SUR ALEX

Il n'existe pas de dieux plus cruels ni plus féroces que ceux des Aztèques. C'était pourquoi Damian Cray les avait choisis afin d'animer son jeu vidéo.

Il en avait assigné trois à la surveillance du labyrinthe de miroirs, cinquième et dernière zone de l'immense arène construite sous l'usine. Tlaloc, le dieu de la pluie, mi-homme mi-alligator, avait des dents acérées, des griffes en guise de mains et une épaisse queue couverte d'écailles qu'il traînait derrière lui. Xipe Totec, le seigneur du printemps, s'était arraché les yeux, lesquels pendaient devant son horrible visage grimaçant de douleur. Xotlotl, porteur du feu, marchait sur des pieds qui avaient été écrasés et retournés vers l'arrière. Des flammes bondissaient de ses mains, réfléchies à l'infini dans les miroirs du labyrinthe, où se reflétaient aussi les volutes de fumée.

Bien entendu, les créatures qui guettaient l'arrivée d'Alex n'avaient rien de surnaturel. Sous les masques grotesques, la peau en latex et le maquillage, se dissimulaient des criminels récemment libérés de Bijlmer, la plus grande prison de Hollande. Ils travaillaient maintenant comme agents de sécurité à Cray Software Technology, mais on leur confiait parfois des tâches un peu spéciales. Celle-ci en faisait partie. Les trois hommes étaient armés d'épées courbes, de javelots, de griffes d'acier et de lance-flammes, et brûlaient d'impatience de s'en servir.

Ce fut Xotlotl qui, le premier, aperçut Alex.

La caméra de la zone ayant été mise hors service, ils ignoraient qui, d'Alex ou du serpent, avait triomphé. Mais soudain il y eut un mouvement. Le garde-Xolotl vit une silhouette apparaître en titubant. Le garçon ne faisait aucun effort pour se cacher et le garde comprit aussitôt pourquoi.

Alex Rider ruisselait de sang. Sa poitrine nue était rouge écarlate. Sa bouche s'ouvrait et se fermait, mais aucun son n'en sortait. Il avait une lance plantée dans le thorax. De toute évidence, le garçon avait échoué à franchir le couloir. Une lance l'avait transpercé.

En apercevant le garde, Alex s'arrêta et tomba à genoux. Une de ses mains monta mollement vers la lance fichée dans son torse. Il leva la tête et essaya de parler. Sa bouche cracha du sang. Ses yeux se fermèrent et il bascula sur le côté. Inerte.

Le garde se détendit. La mort du garçon ne signifiait rien pour lui. Il plongea la main dans la poche de sa cotte de mailles et en sortit un émetteur radio.

— C'est terminé, annonça-t-il en néerlandais. Le gamin a été tué par une lance.

Dans toute la zone de jeu, des lampes au néon s'allumèrent. Sous l'éclairage blanc et cru, le décor se mit à ressembler à une fête foraine. Les gardes avaient l'air ridicule dans leurs costumes de dieux aztèques. Les yeux arrachés de l'un étaient des balles de ping-pong, le corps d'alligator de l'autre du simple caoutchouc. Les pieds retournés à l'envers du troisième auraient pu figurer dans un magasin de farces et attrapes. Les trois hommes firent cercle autour d'Alex.

— Il respire encore, observa l'un d'eux.

— Plus pour longtemps, dit le deuxième.

— Qu'est-ce qu'on fait de lui ?

— Laisse-le ici. Ce n'est pas notre boulot. L'équipe de nettoyage le ramassera plus tard.

Et ils s'en allèrent. L'un d'eux s'arrêta près d'un mur peint en trompe l'œil qui donnait l'illusion de vieilles pierres. Il fit pivoter un petit panneau dissimulant un bouton. Il pressa le bouton et le mur s'ouvrit en glissant sur des rails. Derrière, se déroulait un couloir brillamment éclairé, dans lequel les trois gardes s'engagèrent pour aller se changer.

Alex ouvrit les yeux.

La ruse qu'il avait utilisée était si vieille qu'il en avait presque honte. Jouée sur une scène de théâtre, elle n'aurait pas trompé un enfant de six ans. Mais ici les circonstances étaient un peu différentes.

Resté seul dans sa jungle miniature, il avait récupéré la lance brisée dont il s'était servi pour tuer le serpent. À l'aide du fil de la caméra de surveillance, il avait attaché la lance sur son torse. Ensuite il s'était copieusement badigeonné de sang du serpent mort. Cela lui avait donné la nausée mais il voulait s'assurer que l'illusion fonctionnerait. Maîtrisant sa répulsion, il s'était aussi mis du sang dans la bouche. Le goût écœurant persistait et il devait faire un effort pour ne pas déglutir. En tout cas, le subterfuge avait marché. Les trois gardes y avaient cru. Aucun d'eux ne s'était penché sur lui pour vérifier. Ils avaient vu ce qu'ils désiraient voir.

Alex patienta jusqu'à ce qu'il soit certain d'être seul. Alors il s'assit et détacha la lance, en espérant que les caméras avaient été éteintes dès la fin du jeu. Puis, sans plus tarder, il s'engagea dans le couloir emprunté par les gardes et abandonna le monde de faux-semblants derrière lui. C'était un couloir banal, avec du carrelage aux murs et des portes en bois massif de chaque côté. Le danger immédiat semblait écarté mais Alex ne pouvait se permettre de se relâcher. Il était à demi nu, couvert de sang, et toujours pris au piège dans l'enceinte de l'usine. De plus, il ne faudrait pas longtemps avant qu'on s'aperçoive de sa disparition.

Il ouvrit la première des portes, qui donnait sur un placard de rangement. Les deuxième et troisième portes étaient fermées à clé. À mi-parcours du couloir, il découvrit un vestiaire, des douches, des placards et un panier de linge. Il savait que cela lui coûterait de précieuses secondes mais il lui fallait absolument se laver. Il se déshabilla rapidement, prit une douche, se sécha et se rhabilla. Avant de sortir, il fouilla dans le panier de linge et dénicha une chemise pour remplacer son tee-shirt. La chemise était sale et beaucoup trop grande, mais il l'enfila avec plaisir.

Il entrebâilla prudemment la porte... et la referma vivement. Deux hommes approchaient. Ils parlaient en néerlandais et semblaient se diriger vers le labyrinthe de miroirs. S'ils faisaient partie de l'équipe de nettoyage, ils allaient donner l'alarme d'un instant à l'autre. Alex compta les secondes après leur passage, puis il se faufila dehors et courut dans la direction opposée.

Il arriva devant un escalier. Il ignorait où celui-ci menait mais savait qu'il devait monter.

L'escalier débouchait dans un hall circulaire d'où rayonnaient plusieurs couloirs sans fenêtres. L'unique éclairage provenait des luminaires industriels alignés à intervalles réguliers au plafond. Alex regarda sa montre. 23 h 15. Il se trouvait dans l'usine depuis deux heures et quart mais cela lui avait paru beaucoup plus long. Il pensa à Jack qui l'attendait à l'hôtel, à Amsterdam, probablement morte d'inquiétude.

Tout paraissait silencieux. La plupart des employés de CST étaient probablement couchés. Alex choisit un couloir au hasard et le suivit jusqu'à un autre escalier. Il monta à nouveau et arriva dans une pièce qu'il connaissait. Le bureau-salon de Cray. La pièce où il avait vu mourir Charlie Roper.

Alex avait presque peur d'y entrer. Pourtant l'endroit semblait désert et l'alcôve en forme de bouteille avait été vidée. De l'argent et du cadavre. Il pouvait paraître bizarre qu'aucun garde ne soit affecté à la surveillance du bureau, au cœur même du réseau Cray. Mais, à la réflexion, cela n'avait rien d'étonnant. Toutes les mesures de sécurité étaient concentrées sur l'entrée et le périmètre de l'usine. De plus, Alex était supposé mort. Cray n'avait donc rien à craindre.

Devant lui s'élevait l'escalier en colimaçon qui montait au cube de verre et à la place centrale, mais Alex résista à la tentation de s'y précipiter. Il avait conscience que jamais plus ne se présenterait une telle occasion. Quelque part, dans un recoin de son esprit, rôdait l'idée qu'il n'avait toujours aucune preuve contre Cray. Si jamais il réussissait à sortir d'ici, quels arguments aurait-il pour démontrer au MI6 que Cray n'était pas seulement la pop star et l'homme d'affaires admiré de tous ? Si Alan Blunt et Mme Jones ne l'avaient pas cru la première fois, ils ne le croiraient probablement pas davantage maintenant.

Alex réprima donc son impulsion et s'approcha du bureau de Cray, sur lequel tronaient une douzaine de photographies encadrées. Toutes représentaient la star. Alex les ignora pour s'intéresser aux tiroirs. Ils n'étaient pas fermés à clé. Presque tous contenaient des piles de documents, pour la plupart des listes de chiffres qui ne semblaient guère compromettants. Mais, en ouvrant le dernier, Alex resta bouche bée. L'espèce de cigare métallique que tenait Cray lorsqu'il s'entretenait avec l'Américain était gentiment posé là. Le flash-drive contenant des codes informatiques. Sa tâche consistait à s'introduire dans un système de sécurité. Il avait été estimé deux millions et demi de dollars et avait coûté la vie à Charlie Roper.

Alex n'en revenait pas de l'avoir entre les mains. Il avait envie de l'examiner, malheureusement cela devrait attendre... Il fourra le flash-drive dans sa poche de pantalon et courut vers l'escalier.

Dix minutes plus tard, les sirènes d'alarme retentirent dans toute l'usine. Les deux hommes aperçus par Alex s'étaient en effet rendus au labyrinthe de miroirs pour enlever son cadavre. En ne le voyant pas, ils auraient dû donner l'alerte tout de suite. Mais ils avaient attendu, croyant qu'une autre équipe était passée « faire le nettoyage ». C'est seulement en découvrant le serpent mort et la lance cassée entortillée de fil qu'ils avaient compris ce qui s'était passé.

Pendant ce temps, un camion quitta l'usine. Ni les gardes fatigués du portail ni le conducteur n'avaient remarqué la forme plaquée à plat ventre sur le toit du camion. Mais pourquoi l'auraient-ils remarquée ? Le camion sortait. Il n'entrait pas. Il ne s'arrêta même pas devant les caméras de surveillance. Le garde contrôla simplement l'identité du conducteur et ouvrit la grille. L'alarme se déclencha quelques secondes après le départ du camion.

Or, le règlement de sécurité de Cray Software Technology défendait à quiconque d'entrer ou de sortir pendant une alerte. Et comme tous les véhicules étaient équipés d'un émetteur-récepteur, le garde du poste d'entrée rappela aussitôt le conducteur pour lui ordonner de revenir. Celui-ci arrêta son camion avant même d'arriver au feu tricolore et fit docilement marche arrière. Mais il était déjà trop tard.

Alex se laissa glisser du toit et s'enfuit dans la nuit.

Damian Cray se trouvait dans son bureau, assis sur le sofa, un verre de lait dans la main. L'alarme l'avait surpris dans son sommeil. Il portait un peignoir argent sur un pyjama bleu marine et des mules de coton. Un phénomène étrange avait altéré son visage.

Toute vie s'en était envolée, laissant place à un masque glacé, nu, que l'on aurait pu croire taillé dans le verre. Une unique veine battait au-dessus d'un de ses yeux éteints.

Cray venait de découvrir le vol du flash-drive. Il avait fouillé tous les tiroirs, les avait sortis, retournés, et en avait dispersé le contenu sur le sol. Puis, avec un hurlement de rage inarticulé, il s'était jeté sur le bureau, balayant de ses bras les photos encadrées, les téléphones, les dossiers. Ensuite il avait lancé un presse-papier dans l'écran d'un ordinateur, qui avait explosé en mille éclats. Après quoi, Cray s'était assis sur le sofa et avait réclamé un verre de lait.

Yassen Gregorovitch avait assisté à la scène sans broncher. Lui aussi se trouvait dans sa chambre au moment de l'alerte, mais il ne dormait pas. D'ailleurs, Yassen ne dormait jamais plus de quatre heures. La nuit était bien trop précieuse. Tantôt il sortait faire un jogging ou s'entraînait dans la salle de musculation. Tantôt il écoutait de la musique classique. Cette nuit-là, il travaillait avec un lecteur de cassettes et un manuel d'exercices lu et relu cent fois. Il apprenait le japonais, l'une des nouvelles langues qu'il s'était promis de parler.

En entendant la sirène d'alarme, Yassen avait aussitôt deviné qu'Alex Rider s'était échappé. Il avait éteint le lecteur de cassettes, puis il avait souri.

Maintenant il attendait que Cray rompe le silence.

Il lui avait suggéré de vérifier si le flash-drive était encore là et pressentait qu'il lui ferait porter la responsabilité de sa disparition.

— Il était supposé être mort ! grogna Cray. On m'a dit qu'il était mort ! (Il se tourna vers Yassen et l'apostropha avec colère.) Vous saviez qu'il était venu ici !

— Je m'en suis douté.

— Pourquoi ?

— Parce que... c'est Alex, répondit simplement le Russe.

— Alors parlez-moi de lui !

— Je ne peux pas vous en dire grand-chose, dit Yassen, le regard lointain, le visage impénétrable. La vérité est qu'il n'existe pas un seul autre garçon comme Alex dans le monde. Réfléchissez un instant. Ce soir, vous avez voulu le tuer. Et pas simplement avec une balle ou une lame de couteau, mais d'une manière qui aurait dû le terrifier. Or, il s'est échappé et a réussi à venir jusqu'ici. Normalement, il aurait dû se précipiter dans l'escalier pour sortir. N'importe quel garçon, n'importe quel homme, aurait filé sans perdre une seconde. Pas Alex. Il s'est arrêté et il a fouillé. C'est ce qui le rend unique et si précieux pour le MI6.

— Comment a-t-il réussi à arriver ici ?

— Je ne sais pas. Si vous m'aviez autorisé à l'interroger avant de l'envoyer dans votre jeu, je l'aurais peut-être appris.

— Ce n'est pas ma faute, monsieur Gregorovitch ! Vous auriez dû l'éliminer dans le sud de la France quand vous en aviez l'occasion ! gronda Cray. (Il vida d'un trait son verre de lait et le posa sur la table basse. Sa lèvre supérieure s'ornait d'une moustache blanche.) Pourquoi ne l'avez-vous pas tué ?

— J'ai essayé...

— Dans cette grotesque corrida ! C'était stupide. Vous deviez savoir qu'il en réchapperait.

— Je l'espérais, admit Yassen.

Cray commençait à l'ennuyer. Il détestait devoir s'expliquer et, quand il reprit la parole, ce fut autant pour lui-même que pour Cray.

— Je le connaissais...

— Avant Saint-Pierre, vous voulez dire ?

— Je l'avais rencontré une fois. Mais... même alors... je le connaissais déjà. Dès que je l'ai vu, j'ai su qui il était, et ce qu'il était. Le portrait craché de son père... (Yassen s'interrompit. Il en avait déjà dit plus qu'il ne le souhaitait.) Il n'est pas au courant, reprit-il à mi-voix. Personne ne lui a jamais dit la vérité.

Cray ne l'écoutait plus.

— Je ne peux rien faire sans le flash-drive, se lamenta-t-il, les yeux soudain inondés de larmes. C'est fichu ! L'opération Vol d'Aigle, tout mon plan ! Des années et des années de préparation. Des millions de dollars ! Et tout ça par *votre* faute !

Et voilà. Il reportait le blâme sur lui.

Pendant quelques secondes, Yassen Gregorovitch fut sérieusement tenté de tuer Damian Cray. Rien de plus simple. Un coup sec de trois doigts dans sa gorge pâle et flasque. Le Russe avait travaillé pour de nombreux employeurs malfaisants – si l'on raisonnait en termes de bien et de mal, ce qui n'était pas son cas. Une seule chose importait à Yassen Gregorovitch : le montant de la somme que ces gens pouvaient payer. Certains d'entre eux, comme Herod Sayle, projetaient de tuer des millions de personnes. Le nombre ne signifiait rien pour Yassen. Des gens mouraient tout le temps. Il savait qu'à chacune de ses respirations, à la seconde précise, quelque part dans le monde cent ou mille personnes expiraient. La mort était partout. On ne pouvait pas la mesurer.

Pourtant, ces derniers temps, quelque chose avait changé en Yassen. Peut-être à cause de sa nouvelle rencontre avec Alex. Peut-être à cause de son âge. Malgré son allure de jeune homme, il avait en réalité trente-cinq ans. Il se faisait vieux. Trop vieux en tout cas pour son métier. Il commençait à envisager d'arrêter.

C'est la raison pour laquelle il renonça à tuer Damian Cray. L'opération Vol d'Aigle aurait lieu dans deux jours. Il en sortirait plus riche qu'il n'avait jamais rêvé de l'être, et pourrait enfin rentrer dans son pays, la Russie. Il achèterait une maison à Saint-Pétersbourg et vivrait confortablement, peut-être en faisant quelques affaires occasionnelles avec la Mafia russe. La ville grouillait d'activités criminelles et pour un homme ayant sa fortune et son expérience, tout était possible.

Dans un geste d'apaisement, Yassen étendit le bras – celui-là même qui aurait pu frapper à mort son employeur.

— Vous vous faites trop de soucis. D'après ce que nous savons, Alex se trouve encore dans l'enceinte de l'usine. Et même s'il a réussi à filer, il ne peut aller bien loin. Il doit quitter Sloterdijk et retourner à Amsterdam. J'ai donné l'ordre à tous nos hommes de partir à sa recherche. S'il essaie de rentrer en ville, il sera intercepté.

— Comment savez-vous qu'il voudra rentrer à Amsterdam ?

— Au milieu de la nuit, où pourrait-il aller ? dit Yassen avec un bâillement. Alex Rider sera de retour ici avant le lever du soleil et vous récupérerez votre flash-drive.

— Parfait, dit Cray en contemplant les décombres divers qui jonchaient le sol de la pièce. La prochaine fois que je l'aurai sous la main, je m'arrangerai pour qu'il ne s'évade pas. Je le liquiderai moi-même.

Yassen ne répondit rien. Il tourna le dos à Damian Cray et regagna lentement sa chambre.

12

UN BON COUP DE PÉDALE

12

UN BON COUP DE PÉDALE

Le train local entra dans la gare centrale d'Amsterdam et commença à ralentir. Alex était assis seul, le front contre la vitre, à peine conscient des longs quais déserts et du grand auvent qui s'étirait au-dessus. Il était bientôt minuit et il se sentait épuisé. Jack devait être folle d'inquiétude dans sa chambre d'hôtel et il avait hâte de la rejoindre. Il éprouvait une envie soudaine d'être cajolé. Un bain chaud, un chocolat chaud... et son lit.

La première fois, il s'était rendu à Sloterdijk à vélo. Cette fois, il avait préféré économiser ses forces et laisser le VTT à la gare. Le trajet de retour en train était rapide et appréciable, sachant que chaque seconde l'éloignait de Cray et de son usine. Cela lui avait aussi permis de réfléchir à ce qu'il venait de vivre, d'essayer de comprendre ce que tout cela signifiait. Un avion qui s'enflamme subitement. Un salon VIP. Milstar. L'homme au visage grêlé...

Et la plus importante question de toutes, encore sans réponse : quel but poursuivait Cray ? Le chanteur était immensément riche. Il avait des admirateurs dans le monde entier. Quelques jours plus tôt, il serrait la main du président des États-Unis. Ses chansons étaient diffusées sur toutes les radios et ses apparitions en public attiraient les foules. Le Gameslayer augmenterait encore sa fortune. S'il existait sur terre un homme qui n'avait nul besoin de conspirer et de tuer, c'était bien lui.

Opération Vol d'Aigle.

De quoi s'agissait-il ?

Le train s'immobilisa. Les portières s'ouvrirent avec un chuintement. Alex s'assura que le flash-drive se trouvait toujours dans sa poche et descendit.

Il vit très peu de voyageurs sur le quai mais le grand hall des guichets était plus animé. Pour la plupart, les voyageurs étaient des étudiants et des jeunes gens en transit sur des lignes internationales. Certains étaient assis par terre, adossés à d'énormes sacs à dos. Alex estima qu'il lui faudrait dix minutes pour rentrer à vélo à l'hôtel. À condition d'être assez éveillé pour se rappeler le chemin.

Il franchit les lourdes portes vitrées et trouva son

VTT où il l'avait laissé, attaché à une rambarde. À peine avait-il enlevé la chaîne qu'il se figea, aux aguets, sentant le danger avant même de le voir. C'était une chose qu'il n'avait jamais apprise. Son oncle lui-même, qui avait passé des années à le former au métier d'espion, n'aurait pu l'expliquer. Un sixième sens lui soufflait qu'il devait filer. Et vite. Alex jeta un coup d'œil alentour. Un vaste parvis pavé descendait vers un canal. La ville s'étendait derrière. Le kiosque de hot dogs était encore ouvert mais le vendeur momentanément absent. Les saucisses tournaient toutes seules au-dessus du gril. Quelques couples se promenaient sur les ponts qui enjambaient les canaux, profitant de la douceur de l'air nocturne. Le ciel n'était pas noir mais d'un bleu profond.

Quelque part une horloge sonna l'heure, et d'autres carillons lui répondirent à travers la ville.

Alex remarqua une voiture stationnée face à la gare. Ses phares s'allumèrent. Leur faisceau balaya le parvis jusqu'à lui. Un instant plus tard, une deuxième voiture fit de même. Puis une troisième. Les voitures étaient toutes des Smart. D'autres phares s'allumèrent. En tout, six véhicules étaient garés en demi-cercle autour d'Alex, couvrant tous les angles du parvis. Noires, avec leurs habitacles courts et rebondis, on aurait dit des jouets. Mais Alex savait que les Smart n'étaient pas là pour s'amuser.

Des portières s'ouvrirent. Des hommes surgirent,

silhouettes sombres découpées dans les phares. Pendant une fraction de seconde, personne ne bougea. Ils l'encerclaient. Alex se trouvait pris au piège.

Il allongea son pouce gauche vers la sonnette vieillotte fixée au guidon du vélo. Une petite manette en sortait. En la poussant, on actionnait la sonnette. Alex la tira. Le couvercle de la sonnette s'ouvrit et révéla cinq boutons, chacun d'une couleur différente. Smithers les avait décrites dans le manuel : chaque couleur correspondait à un usage différent. Le moment était venu de vérifier leur efficacité.

Devinant peut-être qu'il mijotait quelque chose, les silhouettes noires avaient commencé à traverser le parvis de la gare. Alex pressa le bouton orange et il sentit une vibration sous ses doigts. Deux minimissiles thermoguidés jaillirent des extrémités du guidon. Laissant derrière eux des traînées orange, ils filèrent à travers le parvis. Alex vit les hommes en noir se figer, indécis. Les missiles montèrent en flèche, puis leur trajectoire s'incurva avec une synchronisation parfaite. Comme l'avait prévu Alex, la source de chaleur la plus forte était le gril du kiosque de hot dogs. Les missiles fondirent dessus en même temps. Il y eut une énorme explosion. Une boule de feu s'éleva au-dessus du parvis de la gare et se refléta dans l'eau du canal. Des fragments de bois enflammé et de saucisses retombèrent en pluie. Le souffle n'avait pas été assez puissant pour tuer quelqu'un, mais suffisant pour créer une diversion. Alex enfourcha son vélo et rentra dans la gare. C'était la seule issue.

Mais au moment où il revenait dans le hall des guichets, il aperçut d'autres hommes qui accouraient dans sa direction. À cette heure de la nuit, les gens se déplaçaient lentement. Ceux qui couraient avaient une raison spéciale, et Alex avait conscience d'être cette raison. Les hommes de Cray devaient communiquer entre eux par radio. Dès qu'un des leurs repérait Alex, tous savaient où il se trouvait.

Il enfourcha son vélo et se mit à pédaler sur le sol dallé aussi vite qu'il le pouvait. Il passa devant les guichets de tickets, les kiosques de journaux, le bureau d'information et les rampes qui montaient aux quais, s'efforçant de creuser l'écart entre lui et ses poursuivants. Il fit une embardée pour éviter une femme qui poussait une laveuse-cireuse automatique, et faillit renverser un barbu qui ployait sous un gigantesque sac à dos. Le barbu jura en allemand. Alex poursuivit sa route à folle allure.

Il avait remarqué une porte à l'extrémité du hall, mais avant qu'il puisse l'atteindre, celle-ci s'ouvrit brusquement et d'autres hommes en surgirent, lui bloquant le passage. Alex exécuta un tête-à-queue et se dirigea vers la seule issue possible pour fuir ce cauchemar. Un escalator vide descendait au niveau inférieur. Sans réfléchir, il s'élança sur les marches métalliques. Les roues du VTT rebondirent brutalement et le vélo tangua de droite à gauche contre les panneaux métalliques de l'escalator. Alex craignit que la roue avant ne cède sous les chocs répétés ou que les pneus n'éclatent, cisaillés par les lames des marches. Mais le vélo arriva en bas intact et Alex poursuivit sa course à travers la station de métro située sous la gare, longeant d'un côté des guichets vitrés et, de l'autre, des portillons automatiques. Par chance, il était tard, et la station presque déserte. Quelques têtes étonnées pivotèrent dans sa direction en le voyant s'engouffrer dans un long couloir.

Le moment était très mal choisi, pourtant Alex se surprit à admirer la maniabilité du Bad Boy. La légèreté du cadre d'aluminium ne diminuait en rien sa stabilité. En arrivant à un croisement, il se mit en position d'attaque. Il appuya à fond sur la pédale extérieure et bascula son poids dessus en gardant le corps baissé. Son centre de gravité portait tout entier sur le point de contact des pneus avec le sol, et le Bad Boy prit un virage parfaitement contrôlé. Alex avait appris cette manœuvre quelques années plus tôt en faisant du cross dans les Pennines[1]. Jamais il n'aurait imaginé utiliser la même technique dans une station de métro d'Amsterdam !

Un second escalator le remonta au rez-de-chaussée, de l'autre côté du parvis de la gare. Les vestiges du

1. Collines élevées et peu peuplées du nord de l'Angleterre, surtout vouées aux loisirs sportifs.

kiosque de hot dogs continuaient de se consumer. Une voiture de police venait d'arriver et il aperçut le vendeur de hot dogs hystérique tenter d'expliquer ce qui s'était passé à un policier. Alex espéra un instant passer inaperçu, mais un hurlement de pneus le ramena à la réalité et il vit une des Smart démarrer en trombe et foncer dans sa direction.

Il s'élança dans Damrak, l'une des principales artères d'Amsterdam, et prit rapidement de la vitesse. Jetant un coup d'œil en arrière, il vit qu'une deuxième Smart s'était lancée à sa poursuite. Jamais ses jambes ne pourraient lutter contre leurs moteurs ! Il lui restait peut-être vingt secondes d'avance.

Tout à coup une cloche tinta, suivie d'un bruyant cliquetis métallique. Un tramway arrivait, avec son bruit de ferraille caractéristique. Alex saisit sa chance. Le tram ressemblait à une grande caisse de métal qui lui bouchait totalement la vue. Au tout dernier instant, Alex donna un violent coup de guidon pour bifurquer juste devant le tram. Il vit le visage horrifié du conducteur et sentit les roues du vélo tressauter sur les rails. Une fois de l'autre côté, le tram se dressa comme un mur entre lui et les Smart. Tout au moins pendant quelques secondes.

L'une d'elles tenta néanmoins de le suivre. Terrible erreur. Elle se trouvait au milieu de la voie lorsque le tram la percuta. Alex entendit un effroyable choc et la Smart fut projetée dans la nuit en tournoyant. Suivirent un grincement assourdissant et un hurlement métallique. Le tram avait déraillé. La seconde voiture du tram pivota brutalement et fouetta l'autre Smart comme une mouche. Alex s'éloigna du Damrak à coups de pédales énergiques et franchit un joli pont peint en blanc, laissant derrière lui une scène de totale dévastation, tandis que les premières sirènes de police trouaient la nuit.

Il roulait maintenant dans des rues étroites plus animées, où des passants flânaient devant des cinémas porno et des clubs de strip-tease. Sans le savoir, il s'était égaré dans le célèbre quartier chaud d'Amsterdam. Une femme, debout dans une encoignure de porte, lui fit un clin d'œil. Alex se demanda comment réagirait Jack en voyant ça. Il détourna la tête et poursuivit son chemin.

Trois motos noires bloquaient l'extrémité de la rue.

Alex poussa un grognement de dépit. Les motos étaient des Suzuki « Bandits » 400 CC, et une seule raison expliquait leur présence à cet endroit, silencieuses et immobiles. Elles l'attendaient. Dès qu'ils l'aperçurent, les motards démarrèrent au kick. Alex devait filer, et vite. Il regarda autour de lui.

D'un côté, des dizaines de badauds traînaient devant les vitrines éclairées au néon. De l'autre, un étroit canal s'étirait dans le lointain. L'autre rive offrait un refuge obscur. Mais comment l'atteindre sans un pont en vue ?

Pourtant il existait peut-être un moyen. Un bateau, un de ces fameux yachts à toit de verre, très bas sur l'eau et surchargés de touristes, effectuait une dernière croisière nocturne. Il avait pivoté au milieu du canal, de telle manière qu'il touchait presque les deux berges. Le capitaine avait mal évalué l'angle et le bateau semblait presque coincé en travers.

Alex s'élança vers le canal. Simultanément, il pressa le bouton vert de la sonnette. Du coin de l'œil, il surveilla le bidon d'eau accroché à l'envers sous la selle. Un liquide gris argent en gicla, laissant une traînée sinueuse sur la chaussée. Derrière, les Suzuki rugirent. Elles l'avaient rattrapé. Alors tout se produisit en même temps.

Alex quitta la chaussée, traversa le trottoir et lança le vélo dans le vide. La première Suzuki avait atteint la section de la rue couverte de liquide. Le conducteur perdit aussitôt le contrôle de sa moto et dérapa si violemment qu'il parut s'être jeté au sol volontairement. Sa moto en percuta une deuxième, qui chuta à son tour. Pendant ce temps, Alex atterrit sur le toit de verre armé du bateau et le parcourut sur toute la longueur. Au-dessous de lui, il entrevit les visages hébétés des clients attablés. Un serveur portant un plateau de verres pivota pour le suivre des yeux et laissa choir son plateau. Un ou deux flashs d'appareils photo scintillèrent. Arrivé à l'autre extrémité et emporté par son élan, Alex décolla du toit, passa au-dessus d'une rangée de bittes d'amarrage, et s'arrêta dans un dérapage plus ou moins contrôlé sur l'autre berge.

Il regarda derrière lui juste à temps pour s'apercevoir que la troisième moto l'avait suivi. Elle s'apprêtait à atterrir sur le toit de verre. Les passagers du bateau levèrent la tête, visiblement effrayés. Ils avaient raison d'avoir peur. La moto était trop lourde. Le toit de verre céda sous son poids et explosa en mille éclats. La moto et son conducteur disparurent dans la salle à manger tandis que les touristes affolés s'écartaient en hurlant de sa trajectoire. Les tables explosèrent sous l'impact. Sous l'effet d'un court-circuit, toutes les lumières s'éteignirent. Alex n'eut pas le temps d'en voir davantage.

Malheureusement, il n'allait pas pouvoir se cacher dans l'obscurité. Deux autres motards l'avaient repéré et remontaient la berge à toute vitesse. Alex essaya de fuir dans une petite rue adjacente, en coupa une autre, tourna à un croisement, traversa une place. Ses mollets et ses cuisses étaient en feu. Il savait qu'il ne pourrait guère aller plus loin.

C'est alors qu'il commit une erreur.

Il vit une ruelle, sombre et attrayante, où il espéra pouvoir disparaître. Mais il en était à mi-chemin lorsqu'un homme surgit devant lui, armé d'une mitraillette. Derrière, les deux Suzuki approchaient, lui coupant la retraite.

L'homme leva son arme. Alex pressa le bouton

jaune de la sonnette. Aussitôt explosa une violente lumière blanche : le bouton avait activé la lampe au magnésium dissimulée dans le phare. Toute la rue fut illuminée et le tueur aveuglé.

Alex pressa ensuite le bouton bleu. Il entendit un sifflement sonore. Un nuage de fumée bleue s'échappa de la pompe fixée au cadre du vélo. Les deux motards qui le poursuivaient furent aussitôt plongés dans un brouillard bleu.

C'était hallucinant. Cette lumière blanche éblouissante, cette fumée bleue. L'homme à la mitraillette ouvrit le feu, croyant Alex devant lui. Mais Alex l'avait déjà dépassé et les balles se perdirent. Ou plus exactement elles atteignirent une autre cible. Le premier motard fut tué sur-le-champ. Le second parvint à passer au travers, mais il y eut un cri, suivi d'un grand fracas de métal contre un mur de briques. Alex esquissa un sourire sans joie en devinant ce qui venait de se produire. Aveuglé par la fumée, le deuxième motard avait foncé sur son complice à la mitraillette, avant d'aller se jeter dans un mur.

Le sourire d'Alex s'évanouit quand il aperçut une autre Smart surgir de nulle part. Elle était encore loin mais se rapprochait rapidement. Combien y en avait-il ? Il avait espéré que les hommes de main de Cray finiraient par se lasser. Aucune chance. Tant qu'Alex serait en possession du flash-drive, Cray mettrait Amsterdam à feu et à sang pour le récupérer.

Un pont s'ouvrait devant lui, une ancienne construction de bois et de fer, avec de gros câbles et des contrepoids. Il enjambait un large canal, sur lequel approchait une péniche. Alex était intrigué. Le pont était beaucoup trop bas pour permettre à la péniche de passer. À ce moment un feu rouge clignota et le pont commença à s'élever.

Alex jeta un regard par-dessus son épaule. La Smart fonçait derrière lui, à une cinquantaine de mètres. Cette fois, il n'avait aucune cachette possible, aucune échappatoire. Si seulement il pouvait atteindre l'autre berge du canal ! Là, au moins, il pourrait disparaître. Personne ne le suivrait, du moins pas avant que le pont ne soit de nouveau baissé. Mais il était trop tard. Le pont se séparait en deux et les deux sections s'élevaient en même temps, laissant le vide se creuser à chaque seconde.

La Smart approchait.

Alex n'avait pas le choix.

Malgré ses muscles endoloris et son épuisement, il se mit en danseuse sur les pédales pour prendre de la vitesse. Il entendit la Smart approcher mais n'osa pas tourner la tête. Toute son énergie se concentra sur le pont qui se relevait rapidement.

Il atteignit les lattes de bois alors que le pont était incliné à 45 degrés. De façon absurde, Alex songea à un cours de maths qu'il croyait avoir oublié depuis longtemps. Le triangle à angle droit. Il le voyait nettement dessiné sur le tableau noir. Et lui roulait sur le plan incliné !

Impossible. Il n'y arriverait pas. La Smart lui collait à la roue. Il n'entendait rien d'autre que le bruit de son moteur. Son odeur d'essence lui emplissait les narines.

Il donna un ultime coup de pédale et, en même temps, pressa le bouton rouge de la sonnette. Le siège éjectable. Il perçut une discrète explosion. Un ingénieux système hydraulique ou à air comprimé propulsa la selle en l'air. Alex fut éjecté par-dessus le bord du pont, par-dessus le canal, et retomba de l'autre côté en roulant sur lui-même. Avant de s'immobiliser, il eut le temps d'entrevoir la Smart qui avait commis la folie de le suivre. Elle était suspendue en l'air, entre les deux moitiés de pont. Il aperçut le conducteur, les yeux exorbités, les mâchoires serrées. Puis la voiture plongea, soulevant une immense gerbe d'eau. Elle sombra aussitôt et disparut dans les noires profondeurs du canal.

Alex se remit péniblement debout. La selle gisait à côté de lui. Il la ramassa et découvrit un message collé dessous. *Si tu peux lire ces mots, c'est que tu as besoin d'une autre bicyclette.*

Smithers avait un sens de l'humour assez morbide. Sa selle sous le bras, Alex prit le chemin de l'hôtel en boitillant, trop fatigué pour sourire.

13

MESURES D'URGENCE

L'hôtel Saskia était une vieille bâtisse qui semblait se frayer un passage entre un entrepôt reconverti et un immeuble d'appartements. Il ne comptait que cinq chambres, empilées l'une sur l'autre comme un château de cartes, chacune offrant une vue sur le canal. Le marché aux fleurs se trouvait tout près et, même la nuit, l'air embaumait. Jack avait choisi cet hôtel parce qu'il était petit et discret. C'était un endroit où, espérait-elle, on ne les remarquerait pas.

Quand Alex ouvrit les yeux, le lendemain matin, il était étendu sur un lit dans une petite chambre de forme biscornue située au dernier étage, sous les toits. Il n'avait pas fermé les volets et le soleil entrait à flots par la fenêtre grande ouverte. Il s'assit lentement. Son corps endolori protestait contre les mauvais traitements de la nuit. Ses vêtements étaient soigneusement pliés sur une chaise, pourtant il ne se rappelait pas les y avoir posés. Il tourna la tête et aperçut une note scotchée au miroir.

Petit déjeuner servi en bas jusqu'à 10 heures.
J'espère que tu pourras descendre ! Bises.

Il sourit en reconnaissant l'écriture de Jack.

La salle de bains contiguë était à peine plus grande qu'un placard. Alex prit une douche et se brossa les dents, heureux de la saveur mentholée du dentifrice. Dix heures après, le goût du sang du serpent persistait. En s'habillant, il se remémora son retour à l'hôtel. Il était entré en boitant dans le petit hall de réception où Jack l'attendait, assise dans l'un des antiques fauteuils. Il ne pensait pas avoir été sérieusement blessé mais l'expression de Jack en le voyant signifiait le contraire. Elle avait commandé du chocolat chaud et des sandwichs au réceptionniste éberlué, puis avait escorté Alex dans le petit ascenseur jusqu'au cinquième étage. Elle ne lui avait posé aucune question et Alex lui en avait été reconnaissant. Il se sentait trop épuisé pour s'expliquer, trop fatigué pour quoi que ce soit.

Jack lui avait fait prendre une douche. Pendant ce temps, elle s'était procuré des pansements et de la pommade antiseptique. Alex n'en voyait pas l'utilité et il avait poussé un soupir de soulagement quand le service d'étage avait interrompu la séance d'infirmerie. Lui qui se croyait trop exténué pour manger s'était subitement découvert une faim de loup et avait englouti tout ce qu'il y avait sur le plateau. Ensuite il s'était allongé sur le lit et endormi instantanément.

Alex finit de se préparer, examina ses contusions dans le miroir, et quitta la chambre. L'ascenseur grinçant le descendit jusqu'à une petite salle à manger située dans une cave voûtée sous le hall de réception. On y servait le petit déjeuner à la mode hollandaise : viandes froides, fromages, petits pains roulés et café. Jack était assise seule à une table d'angle.

— Bonjour, Alex, dit-elle en souriant, visiblement soulagée de le voir redevenu à peu près lui-même. Tu as bien dormi ?

— Comme une souche. Tu veux que je te raconte ce qui s'est passé hier soir ?

— Pas tout de suite. J'ai le pressentiment que ça va me couper l'appétit.

Ils déjeunèrent donc avant qu'Alex entame le récit de son aventure nocturne, depuis l'instant où il était entré dans l'usine de Cray accroché au flanc du camion. Lorsqu'il eut fini son histoire, un long silence s'installa. La dernière tasse de café de Jack avait refroidi.

— Damian Cray est un fou furieux ! s'exclama-telle enfin. Tu peux me croire, Alex. Plus jamais je n'achèterai un de ses disques ! (Elle but une gorgée de café froid, fit la grimace, et reposa la tasse.) Mais une chose m'échappe. Qu'est-ce qu'il mijote, ce dingue ? Je veux dire... Cray est un héros national. Il a chanté au mariage de la princesse Diana !

— À son anniversaire, corrigea Alex.

— Et il verse des millions aux œuvres de charité ! J'ai assisté à un de ses concerts, il y a longtemps. Toute la recette est allée à l'association Sauvez les enfants. Ou alors j'ai mal compris. C'était peut-être Tabassez les enfants ! Tu peux m'expliquer à quoi ça rime ?

— Non. Je n'en sais rien. Plus j'y réfléchis moins ça a de sens.

— Moi je ne veux même pas y réfléchir. Je suis juste soulagée que tu t'en sois sorti vivant. Et je m'en veux à mort de t'avoir laissé y aller seul. (Jack s'interrompit un instant, puis reprit :) Tu en as assez fait. Maintenant tu dois retourner au MI6 et leur dire ce que tu sais. Donne-leur le flash-drive. Cette fois ils te croiront.

— Je suis d'accord, Jack. Mais d'abord il va falloir quitter Amsterdam et se montrer prudents. Cray a sûrement posté des hommes dans la gare. Et aussi à l'aéroport.

— Prenons le bus, proposa Jack. On peut aller à Rotterdam ou Anvers et prendre l'avion de là-bas.

Après le petit déjeuner, ils montèrent boucler leurs

bagages, réglèrent la note et quittèrent l'hôtel. Jack paya en liquide. Elle craignait que Cray, usant de son pouvoir et de ses relations, puisse retrouver leur trace grâce à sa carte de crédit. Ils prirent un taxi au marché aux fleurs et se firent conduire dans les faubourgs, à un arrêt de bus local. Alex avait conscience que le trajet du retour serait très long et cela l'inquiéta. Douze heures s'étaient écoulées depuis que Cray avait annoncé que l'opération Vol d'Aigle aurait lieu dans deux jours. Et on était déjà au milieu de la matinée.

Il ne restait que trente-six heures.

*
* *

Damian Cray s'était réveillé de bonne heure. Il était assis dans son lit à baldaquin, garni de draps de soie mauve et d'une bonne douzaine d'oreillers. Un plateau était posé devant lui, apporté par son valet de chambre en même temps que les journaux du matin spécialement expédiés par avion d'Angleterre. Il mangeait son petit déjeuner habituel : porridge biologique, miel mexicain (produit par ses propres abeilles), lait de soja et canneberge[1]. Tout le monde savait que Cray était végétarien. À différentes occasions, il avait mené campagne contre l'élevage en batterie, le transport des animaux vivants et l'importation

1. Baie comestible, sorte d'airelle.

de foie gras. Ce matin, il n'avait aucun appétit mais il se força à manger. Son diététicien personnel ne lui laissait jamais sauter le petit déjeuner.

Il n'avait pas fini quand on frappa à la porte. Yassen Gregorovitch entra. Cela ne dérangeait pas Cray de recevoir dans sa chambre. Il avait composé quelques-unes de ses meilleures chansons dans son lit.

— Alors ? demanda-t-il.

— J'ai fait ce que vous avez dit. J'ai posté des hommes à la gare centrale d'Amsterdam, à Amsterdam Zuid, à Lelylaan, à De Vlugtlaan. Bref, dans toutes les gares locales. J'ai aussi couvert l'aéroport Schiphol et les ports. Mais je ne crois pas qu'Alex s'y montrera.

— Pourquoi ?

— À sa place, j'irais à Bruxelles ou à Paris. J'ai des contacts dans la police et je leur ai demandé d'ouvrir l'œil. Si quelqu'un l'aperçoit, nous serons prévenus. Mais je pense que nous ne le retrouverons pas avant son retour en Angleterre. Il ira droit au MI6 pour leur porter le flash-drive.

— Tout ceci semble vous laisser indifférent, remarqua Cray en posant sa cuiller.

Yassen s'abstint de répondre.

— Je dois dire que vous me décevez beaucoup, monsieur Gregorovitch, reprit Cray. Quand j'ai monté cette opération, on m'a affirmé que vous étiez le meilleur. Que vous ne commettiez jamais d'erreur.

Toujours pas de réponse. Cray s'en irrita et poursuivit :

— Je devais vous verser une somme considérable. Eh bien, vous pouvez faire une croix dessus ! C'est fini. Terminé. L'opération Vol d'Aigle n'aura pas lieu. Et moi ? Le MI6 va tout découvrir et s'ils me cherchent... (Sa voix se brisa.) Cela devait être un moment de gloire. L'œuvre de ma vie. Maintenant tout est fichu. Et à cause de vous !

— Ce n'est pas fini, objecta Yassen.

Sa voix n'avait pas changé, mais quelque chose de glacé en émanait, qui aurait dû alerter Damian Cray sur le danger qu'il venait de frôler. Une fois encore, il avait sans le savoir échappé de justesse à une mort brutale et inattendue. Le Russe baissa les yeux sur le petit homme couché dans son lit et ajouta :

— Nous devons prendre des mesures d'urgence. J'ai des hommes en Angleterre. Je leur ai donné des instructions. Vous récupérerez le flash-drive à temps.

— Comment ferez-vous ? demanda Cray, sceptique.

— J'ai bien réfléchi. Depuis le début je suis persuadé qu'Alex agit seul. Que c'est le hasard qui l'a conduit jusqu'à nous.

— Pourtant il était avec cette famille, dans le sud de la France.

— En effet.

— Comment expliquez-vous ça ?

— Posez-vous la question. À votre avis, pourquoi Alex a-t-il été si ému par ce qui est arrivé au journaliste ? Ce n'était pas son problème. Pourtant ça l'a mis en colère. Il a risqué sa vie en montant sur le yacht. La réponse est évidente : l'amie chez qui il passait ses vacances est une fille.

— Une petite amie ? ricana Cray.

— En tout cas il éprouve des sentiments pour elle. C'est ça qui l'a mis sur notre piste.

— Et vous croyez que cette fille...

Cray comprit l'intention du Russe et, soudain, l'avenir lui apparut beaucoup plus radieux. Il se renversa contre ses oreillers.

— Comment s'appelle-t-elle ?

— Sabina Pleasure, répondit Yassen.

*

* *

Sabina avait toujours détesté les hôpitaux et tout, à Whitchurch, renforçait son aversion.

L'hôpital Whitchurch, établissement flambant neuf du sud de Londres, était gigantesque. On s'imaginait facilement entrer par les portes à tambour et ne jamais en ressortir. On pouvait y mourir, on pouvait y être englouti par le système. Personne ne s'en apercevrait. Tout dans le bâtiment paraissait impersonnel, comme s'il avait été spécialement conçu pour donner l'impression aux patients d'être des produits d'usine. Médecins et infirmières allaient et venaient, l'air épuisé. Le seul fait d'approcher de l'hôpital remplissait Sabina d'appréhension.

Liz Pleasure gara sa Golf dans le parking.

— Tu es certaine de ne pas vouloir que je t'accompagne, ma chérie ?

— Oui. Ne t'inquiète pas, ça ira. Attends-moi ici.

— N'oublie pas qu'il a été gravement blessé, Sabina. Tu risques d'avoir un choc en le voyant. Mais au fond de lui il n'a pas changé. C'est toujours ton papa.

— Tu crois qu'il veut me voir ?

— Bien sûr que oui ! Il t'attend avec impatience. Mais ne reste pas trop longtemps. Il est fatigué...

Il s'agissait de la première visite de Sabina à son père depuis son rapatriement de France par avion. Jusqu'alors, il n'avait pas eu la force de la voir et Sabina venait de comprendre que c'était également vrai pour elle. Dans un sens, elle avait redouté cette entrevue. Elle s'était demandé comment elle réagirait en le voyant. Il était gravement brûlé et ne pouvait pas encore marcher. Pourtant, dans ses rêves, il demeurait toujours le même papa. Elle avait une photo de lui près de son lit et, chaque soir, avant de s'endormir, elle le regardait tel qu'il avait toujours été : un intellectuel aux cheveux un peu hirsutes, mais toujours souriant et en pleine forme physique. Elle savait qu'elle devrait affronter la réalité dès la seconde où elle entrerait dans sa chambre.

Sabina respira à fond. Elle descendit de la voiture et traversa le parking, dépassa les Urgences et entra dans l'hôpital. Après les portes à tambour, elle déboucha dans un hall trop éclairé et trop animé, grouillant et bruyant. On se serait davantage cru dans un centre commercial. D'ailleurs, elle remarqua quelques boutiques : un fleuriste, un marchand de journaux, un café et un traiteur, où l'on pouvait acheter des sandwichs et des friandises pour les malades à qui l'on rendait visite. Des panneaux indiquaient les services. Cardiologie, pédiatrie, urologie, radiologie. Autant de mots aux sonorités inquiétantes, chargées de menace.

Edward Pleasure se trouvait dans le service Lister, du nom d'un chirurgien du XIXe siècle. Sabina savait par sa mère que ce service se trouvait au troisième étage, mais nulle part elle n'apercevait d'ascenseurs. Elle s'apprêtait à se renseigner lorsqu'un jeune médecin s'arrêta devant elle.

— Perdue, jeune fille ?

Cheveux noirs, blouse blanche, gobelet d'eau à la main, il avait l'air sorti tout droit d'un feuilleton de télévision. Il avait un sourire amusé et Sabina dut admettre que c'était un comble d'être perdue au milieu de tous ces panneaux.

— Je cherche le service Lister.

— Troisième étage. Justement j'y vais. Malheureusement je crois que les ascenseurs les plus proches sont en panne.

Des ascenseurs en panne dans un hôpital ? Sabina trouva cela un peu bizarre, d'autant que sa mère, qui était venue la veille au soir, ne lui avait rien signalé de tel. Mais avec toute cette foule, il était sans doute normal que des ascenseurs aient quelques défaillances.

— Vous pouvez prendre l'escalier. Suivez-moi, si vous voulez. Je vais vous montrer le chemin.

Le médecin jeta son gobelet en carton dans une poubelle et traversa le hall, suivi de Sabina.

— À qui rendez-vous visite ?

— À mon père.

— De quoi souffre-t-il ?

— Il a eu un accident.

— Oh, désolé. Comment va-t-il ?

— C'est la première fois que je viens le voir. Il va un peu mieux... je crois.

Ils laissèrent la foule derrière eux et franchirent une double porte donnant dans un corridor, long et désert, qui menait à un palier où convergeaient cinq autres couloirs. Sur un côté montait un escalier, mais le médecin l'ignora.

— On ne monte pas par là ? demanda Sabina.

— Non, répondit le médecin en souriant. (Il souriait vraiment beaucoup.) Cet escalier-là mène en urologie. On peut rejoindre le service Lister mais c'est plus rapide par ici.

Il désigna une porte et l'ouvrit. Sabina le suivit.

À sa surprise, elle se retrouva dehors. La porte donnait sur le côté de l'hôpital, une sorte d'espace couvert servant de garage à des véhicules de livraison, avec un quai de déchargement où s'empilaient des caisses. Le long d'un mur s'alignaient des poubelles de différentes couleurs, selon le type d'ordures qu'elles recevaient.

— Excusez-moi mais je crois que vous...

Sabina s'interrompit, les yeux agrandis par la stupeur. Le jeune médecin venait de se jeter sur elle et lui serrait le cou. Sa première et unique pensée fut qu'elle était tombée sur un fou et elle réagit d'instinct. Ses parents l'ayant depuis longtemps incitée à prendre des leçons d'autodéfense, Sabina n'hésita pas. Elle pivota et remonta brusquement le genou en direction du bas-ventre de l'homme. En même temps elle ouvrit la bouche pour crier. On lui avait enseigné que, dans une situation de ce genre, le bruit est ce que redoute le plus un agresseur.

Mais il fut trop rapide pour elle. Il lui plaqua une main sur la bouche et son cri s'arrêta dans sa gorge. Il avait anticipé sa réaction et s'était retourné, la plaquant contre lui. Sabina comprit qu'elle avait été trop naïve. Ce n'était pas parce qu'elle se trouvait dans un hôpital qu'un homme vêtu d'une blouse blanche était médecin. Cela pouvait être n'importe qui et elle avait été stupide de suivre un étranger. Combien de fois ses parents le lui avaient-ils répété ?

Une ambulance apparut et fit une rapide marche arrière dans l'aire de service. Sabina reprit espoir, et des forces nouvelles. Quel que soit l'objectif de son agresseur, il n'avait pas choisi le bon endroit. L'ambulance était arrivée juste à temps. Mais Sabina se rendit compte que l'homme ne réagissait pas. Normalement il aurait dû la lâcher et s'enfuir. Au contraire, il commença à la traîner vers le hayon arrière de l'ambulance. Les portières s'ouvrirent brusquement et deux hommes bondirent. Tout avait été planifié ! Ils étaient tous complices. Ils savaient qu'elle viendrait à l'hôpital rendre visite à son père et attendaient là spécialement pour l'intercepter.

Elle réussit à mordre la main plaquée sur sa bouche. Le faux docteur poussa un juron et la lâcha. Sabina lui assena un violent coup de coude dans le nez et entendit un craquement écœurant. L'homme recula et, subitement, elle fut libre. Elle voulut crier pour donner l'alarme mais les deux faux ambulanciers se jetèrent sur elle. L'un d'eux tenait un objet pointu et argenté. Sabina ne comprit qu'il s'agissait d'une seringue hypodermique que lorsqu'elle sentit la piqûre dans son bras. Elle se débattit, rua, mais très vite ses forces faiblirent. Ses jambes se dérobèrent et elle serait tombée si les deux hommes ne l'avaient empoignée. Pourtant elle ne sombra pas dans l'inconscience. Ses pensées étaient parfaitement claires. Elle savait qu'elle courait un terrible danger mais n'avait pas la moindre idée de ce que tout cela signifiait.

Impuissante, Sabina fut traînée et jetée dans l'ambulance. Heureusement, un matelas posé sur le sol amortit sa chute. Puis les portières claquèrent et elle entendit une serrure se verrouiller de l'extérieur. Elle était prisonnière dans une cage de fer vide, et incapable de bouger le petit doigt à cause de la drogue qu'on lui avait injectée. Le désespoir la submergea.

Les deux hommes entrèrent dans l'hôpital comme si de rien n'était, tandis que le faux docteur ôtait sa blouse et la fourrait dans une des poubelles. Dessous il portait un costume ordinaire. Il aperçut une tache de sang sur sa chemise. Son nez saignait mais cela lui convenait parfaitement. Il lui serait d'autant plus facile de se faire passer pour un patient.

L'ambulance démarra lentement. Si quelqu'un s'était donné la peine de l'observer, il n'aurait rien remarqué d'anormal : le conducteur portait l'uniforme habituel des ambulanciers... Liz Pleasure suivit distraitement l'ambulance des yeux quand celle-ci passa devant elle avant de quitter l'hôpital. Elle attendait dans le parking le retour de sa fille. Elle se trouvait encore là une demi-heure plus tard, étonnée que Sabina tarde autant. Mais il lui fallut un long moment encore avant de réaliser que sa fille avait disparu.

14

ÉCHANGE TRUQUÉ

Jack et Alex atteignirent l'aéroport de Londres à 17 heures, à l'issue d'une journée interminable et de tribulations à travers trois pays, par route et par air. Ils avaient pris le bus d'Amsterdam à Anvers, où ils étaient arrivés trop tard pour le vol de midi. Ils avaient tué le temps pendant trois heures à l'aéroport, en attendant de monter à bord d'un Fokker 50 vieillot, qui avait mis une éternité pour traverser la Manche. À présent, Alex se demandait s'il n'avait pas perdu trop de temps à vouloir éviter Damian Cray. Une journée entière s'était envolée. Heureusement l'aéroport se situait du bon côté de Londres, pas trop loin de Liverpool Street et des bureaux du M16.

Alex projetait de porter directement le flash-drive

à Alan Blunt. Une chose était certaine. Il ne serait pas en sécurité tant qu'il ne l'aurait pas remis aux autorités. Une fois le flash-drive en possession du M16, il pourrait enfin souffler.

Mais tout son plan fut bouleversé dès qu'il posa le pied dans l'aéroport. Une femme assise dans un café du hall des arrivées lisait un journal. On aurait dit qu'elle se trouvait là exprès ! Sur la une du journal, bien en vue, s'étalait une photo de Sabina, sous ce gros titre :

UNE ADOLESCENTE
DISPARAÎT DE L'HÔPITAL

— Par ici, Alex, dit Jack. Prenons un taxi.

— Jack, regarde !

Jack vit l'expression atterrée d'Alex et suivit son regard vers le journal. Sans un mot, elle courut au kiosque le plus proche de l'aéroport pour en acheter un exemplaire.

L'article donnait peu de détails, mais à ce stade on ne savait pas grand-chose. Une adolescente de quinze ans devait aller voir son père hospitalisé à Whitchurch le matin même, où il était soigné après avoir été victime d'un attentat terroriste dans le sud de la France. Pour une raison inconnue, la jeune fille n'était jamais arrivée à la chambre de son père et semblait s'être évaporée dans la nature. La police lançait des appels à témoins. Sa mère était intervenue à la télévision pour supplier sa fille de rentrer à la maison.

— C'est Cray, dit Alex, la voix blanche. Il l'a enlevée.

— Oh, Seigneur, Alex ! se lamenta Jack, aussi accablée que lui. Il a fait ça pour récupérer le flash-drive. On aurait dû y penser...

— Non, on ne pouvait pas le prévoir. D'ailleurs, comment sait-il qu'elle est mon amie ?... Ah oui. Bien sûr. Par Yassen.

— Tu dois tout de suite aller au M16. C'est la seule chose à faire.

— Non. Je veux d'abord passer à la maison.

— Mais Alex... pourquoi ?

Alex regarda la photo de Sabina une dernière fois, puis il froissa rageusement la page.

— Cray a probablement laissé un message pour moi.

En effet il y avait un message, arrivé sous une forme inattendue.

Jack entra la première dans la maison pour s'assurer que personne ne les attendait. Elle appela Alex.

— Dans le salon, dit-elle laconiquement, l'air sombre.

Un téléviseur grand écran tout neuf y trônait. Quelqu'un s'était introduit dans la maison après avoir acheté le poste et l'avait installé au milieu du salon, avec une webcam perchée dessus, et un câble rouge serpentant jusqu'à la boîte de dérivation murale.

— Un cadeau de Cray, murmura Jack.

— Ce n'est pas vraiment un cadeau, dit Alex.

Une télécommande était posée à côté de la webcam. Alex la prit avec réticence. Il pressentait que ce qu'il allait voir ne lui plairait pas mais il ne pouvait pas y échapper. Il alluma le téléviseur.

L'écran scintilla et, soudain, il se trouva face à face avec Damian Cray. Cela ne l'étonna pas. Il se demanda seulement si Cray était revenu en Angleterre ou s'il émettait depuis Amsterdam. Alex savait que l'image était en direct et que sa propre image serait transmise en retour par la webcam. Il s'assit lentement devant l'écran, sans trahir la moindre émotion.

— Alex ! s'exclama Cray, détendu et enjoué, d'une voix aussi claire que s'il avait été dans la pièce. Je suis ravi de voir que tu es rentré sain et sauf. Je t'attendais pour discuter avec toi.

— Où est Sabina ?

— Où est Sabina ? Où est Sabina ? Comme c'est charmant ! Comme c'est rafraîchissant l'amour à ton âge !

L'image changea. Jack poussa un petit cri. Sabina était allongée sur une banquette dans une pièce vide. Hormis ses cheveux en désordre elle paraissait indemne. Elle leva les yeux vers la caméra et Alex lut la peur et le désarroi dans son regard.

Puis de nouveau le visage de Cray envahit l'écran.

— Nous ne l'avons pas abîmée, ta petite copine... Pas encore. Mais ça pourrait changer.

— Je ne vous donnerai pas le flash-drive.

— Écoute-moi jusqu'au bout, Alex, dit Cray en se penchant en avant. Les jeunes d'aujourd'hui sont des têtes brûlées ! Tu m'as déjà causé bien des ennuis et coûté pas mal d'argent. C'est simple. Tu vas me rendre le flash-drive parce que, sinon, ta petite amie mourra. Et tu verras la vidéo de son agonie.

— Ne l'écoute pas, Alex ! s'exclama Jack.

— Oh si, il va m'écouter. Et je vous prierai de ne pas m'interrompre, reprit Cray avec un sourire, aussi serein et détendu que s'il donnait une interview. Tu sais, Alex, je crois savoir ce que tu as en tête. Tu penses aller voir tes amis du MI6. Je te le déconseille fortement.

— Comment savez-vous que nous n'y sommes pas déjà allés ? intervint Jack.

— Je l'espère très sincèrement, ma chère. Je suis un homme nerveux. Si j'apprends qu'on enquête sur moi, si je me sens surveillé par des inconnus, si un policier me jette un regard de travers dans la rue, je tuerai la fille. Vous avez ma parole. Et si Alex ne m'apporte pas en personne le flash-drive avant dix heures demain matin, je tuerai la fille.

— Non, vous n'oserez pas ! dit Alex.

— Tu peux me mentir, Alex. Mais tu ne peux te

mentir à toi-même. Tu ne travailles pas pour le MI6. Ils ne sont rien pour toi. La fille, si. Si tu l'abandonnes, tu le regretteras jusqu'à la fin de tes jours. Et ça ne s'arrêtera pas à elle. J'éliminerai tous tes amis. Ne sous-estime pas mon pouvoir, Alex ! Je détruirai tous ceux qui te sont proches. Ensuite je m'occuperai de toi. Alors ne te fais pas d'illusions. Rends-moi ce qui m'appartient. Tout de suite.

Il y eut un long silence.

— Où ? demanda Alex.

Il avait un goût amer dans la bouche. Le goût de la défaite.

— Je suis dans ma propriété du Wiltshire. Tu prendras un taxi de la gare de Bath. Tous les chauffeurs savent où j'habite.

— Si je vous l'apporte... (Alex cherchait les mots justes.) Comment être certain que vous la laisserez partir ? Que vous nous laisserez partir tous les deux ?

— C'est vrai, insista Jack. Comment pouvons-nous vous faire confiance ?

— Je suis chevalier du royaume ! s'exclama Cray. Si la reine me fait confiance, vous le pouvez aussi !

L'écran devint blanc.

Alex se tourna vers Jack, désemparé.

— Que dois-je faire, Jack ?

— Ignore-le. Va voir le MI6.

— Je ne peux pas. Tu l'as entendu. Avant dix heures demain matin. Le MI6 ne pourra rien faire d'ici là. Et s'ils essaient, Cray tuera Sabina. J'ai commis une erreur. Elle est en danger à cause de moi. S'il la tue, jamais plus je n'arriverai à me regarder dans la glace.

— Mais, Alex... un grand nombre de gens risquent de pâtir de ce que prépare Cray. Peut-être de mourir.

— Ça, on n'en sait rien.

— Tu imagines vraiment qu'il ferait tout ça juste pour cambrioler une banque ?

Alex ne dit rien.

— Cray est un tueur, Alex, reprit Jack. Je suis désolée. J'aimerais pouvoir t'aider. Mais je ne pense pas que tu puisses entrer chez Cray et en sortir les mains dans les poches.

Alex réfléchit. Il réfléchit longuement. Tant que Cray tenait Sabina, il avait tous les atouts dans son jeu. Mais peut-être existait-il un moyen de la sortir de là. Pour cela il devait se livrer à Cray. Une fois Sabina libérée, Jack pourrait alerter le MI6. Et peut-être... peut-être lui-même en sortirait-il vivant.

Il résuma les grandes lignes de son plan à Jack. Elle l'écouta, mais plus elle l'écoutait, plus elle devenait sombre.

— C'est terriblement dangereux, Alex.

— Mais ça peut marcher.

— Tu ne dois pas lui donner le flash-drive.

— Il ne l'aura pas, Jack.

— Et si ça tourne mal ?

— Alors Cray aura gagné, dit Alex en haussant les épaules. L'opération Vol d'Aigle aura lieu. (Il essaya de sourire, mais son ton manquait d'humour quand il ajouta.) Au moins, on saura enfin de quoi il s'agit !

*

* *

La propriété se trouvait en bordure de la vallée de Bath, à vingt minutes de la gare. Cray avait eu raison au moins sur une chose : le chauffeur de taxi en connaissait l'emplacement sans avoir besoin de l'adresse ni de consulter une carte. Et quand la voiture s'engagea dans l'allée privée vers l'entrée principale, Alex comprit pourquoi la maison était tellement connue.

Damian Cray vivait dans un ancien couvent italien. Selon la légende, il avait découvert ce couvent en Ombrie et en était tombé follement amoureux. Il l'avait acheté, l'avait fait démonter pierre à pierre et transporter en Angleterre pour le rebâtir. L'édifice était réellement extraordinaire. Il semblait avoir envahi le paysage alentour, à l'abri des regards derrière un haut mur de briques couleur miel, percé d'un immense portail en bois sculpté. Derrière le mur, Alex aperçut un toit de tuiles ocre et, plus loin, une tour tarabiscotée avec des colonnes, des fenêtres arrondies et des remparts miniatures. Une grande partie du jardin avait également été importée d'Italie, notamment ses hauts cyprès vert sombre et ses oliviers. Le climat lui-même ne paraissait pas tout à fait anglais. Le soleil brillait dans un ciel bleu lumineux. Il s'agissait sans doute de la journée la plus chaude de l'année.

Alex paya le chauffeur de taxi et descendit de voiture. Il portait un polo de cycliste gris pâle et, en marchant, il descendit la fermeture à glissière pour laisser la brise le rafraîchir. Une cordelette pendait d'un trou dans le mur et il tira dessus. Une cloche tinta. Alex songea que, jadis, cette même cloche avait peut-être arraché les nonnes à leurs prières. Quelle sinistre ironie de voir un endroit pieux ainsi transplanté pour satisfaire le caprice d'un fou !

Les portes s'écartèrent électroniquement. Alex avança et se retrouva dans un cloître, un rectangle de gazon parfaitement tondu entouré de statues de saints. À côté se dressait une chapelle du XIVe siècle, à laquelle était accolée une villa, toutes deux coexistant dans une harmonie parfaite. Un parfum de citron embaumait l'air. De la musique pop s'échappait de la maison. Alex reconnut la chanson. *Lignes blanches*. Cray écoutait son propre disque.

La porte de la maison s'ouvrit. Toujours personne en vue. Alex entra dans une salle claire et spacieuse, au sol carrelé, décorée d'un magnifique mobilier. Dans un angle trônait un piano à queue en bois de rose et, sur les murs blancs étaient accrochés de nombreux tableaux et des objets provenant d'églises médiévales. Six fenêtres donnaient sur une terrasse, et sur le jardin en contrebas. Des rideaux de mousseline blanche pendaient du plafond jusqu'au sol, légèrement gonflés par la brise.

Damian Cray était assis sur un fauteuil en bois sculpté, un caniche blanc sur ses genoux. Il leva les yeux sur Alex.

— Ah, te voilà, Alex. Je te présente Champagne. Un beau petit chien, n'est-ce pas ?

— Dites-moi où est Sabina.

Cray se renfrogna et répondit :

— Je n'ai pas d'ordres à recevoir de toi, Alex. Surtout dans ma propre maison.

— Où est-elle ?

— Très bien !

Sa bouffée de colère envolée, Cray se leva. Le chien sauta à terre et décampa. Cray s'approcha d'un bureau et pressa un bouton. Quelques secondes plus tard, une porte s'ouvrit devant Yassen Gregorovitch. Sabina l'accompagnait. Ses yeux s'agrandirent quand elle vit Alex mais elle ne put rien dire. Et pour cause : non seulement ses mains étaient attachées, mais du ruban adhésif lui bâillonnait la bouche. Yassen la força à s'asseoir sur une chaise et resta à côté d'elle. Alex remarqua que le Russe évitait son regard.

— Tu vois, la voici, Alex, reprit Cray. Un peu effrayée mais indemne.

— Pourquoi l'avez-vous ligotée et bâillonnée ?

— Parce qu'elle m'a dit des choses extrêmement blessantes. Elle a aussi tenté de m'agresser. En fait, elle s'est conduite comme une jeune fille très mal élevée. Bon. Assez discuté. Tu n'as rien à me donner, Alex ?

Venait le moment le plus délicat. Pas une seconde, dans le train qui l'amenait de Londres, puis dans le taxi, et même en marchant vers la maison, Alex n'avait douté : il était certain que son plan marcherait. Mais maintenant, face à Damian Cray, il commençait à douter.

Il sortit le flash-drive de sa poche. L'espèce de cigare argenté avait un bouchon. Alex l'ouvrit, dévoilant un réseau complexe de circuits. Avec du ruban adhésif, il avait fixé un tube coloré contre l'appareil. Il le brandit pour que Cray puisse bien le voir.

— Qu'est-ce que c'est ?

— De la superglu. Je ne sais pas ce que contient votre précieux flash-drive, mais je doute qu'il fonctionne s'il est englué de colle. Il me suffit de presser dessus et vous pourrez dire adieu à votre opération Vol d'Aigle. Vous pourrez dire adieu à tout.

— Très astucieux, dit Cray en riant. Mais je ne vois vraiment pas ce que tu cherches.

— C'est simple. Vous libérez Sabina. Elle sort d'ici, va dans un pub ou ailleurs, et me téléphone. Je vous donnerai le flash-drive quand elle sera en sécurité.

Alex mentait.

Une fois Sabina partie, il viderait le tube de colle dans le flash-drive. La superglu durcirait instantanément et il était prêt à parier que cela rendrait l'appareil inopérant. Il n'avait pas le moindre scrupule à doubler Damian Cray. C'était son plan depuis le début. Il préférait ne pas penser à ce qui lui arriverait ensuite, mais ça n'avait pas grande importance. Dès que Sabina serait libre et que Jack la saurait hors de danger, elle préviendrait le MI6. Le plus difficile pour Alex serait de rester en vie jusqu'à ce que Blunt lui envoie des secours.

— Voilà donc ton idée ? sourit Cray. Intelligente. Et très mignonne. Mais la question est... cela va-t-il marcher ?

— Je ne plaisante pas, dit Alex en brandissant le flash-drive. Laissez-la partir.

— Et si elle court tout droit à la police ?

— Elle ne le fera pas.

Sabina voulut manifester sa désapprobation derrière son bâillon. Alex attendit qu'elle se calme et ajouta :

— Vous m'aurez en otage. Si Sabina va trouver la police, vous pourrez faire de moi ce que vous voudrez. Donc ça la retiendra. De toute façon, elle n'est pas au courant de vos projets. Elle ne peut rien contre vous.

Cray secoua la tête.

— Je regrette.

— Quoi ?

— Je refuse.

— Vous êtes sérieux ? insista Alex en refermant la main sur le tube de colle.

— Tout à fait sérieux.

— Et l'opération Vol d'Aigle ?

— Et ta petite amie ?

Avant qu'Alex ait pu dire un mot, Cray saisit une grosse paire de ciseaux posée sur le bureau et les lança à Yassen. Sabina gigota furieusement mais le Russe l'immobilisa.

— Tu as fait un mauvais calcul, Alex, reprit Cray. Tu es très courageux. Tu ferais *presque* n'importe quoi pour délivrer cette fille. Mais moi je ferai n'importe quoi pour la garder. Je me demande combien tu pourras supporter, et jusqu'où je devrai aller avant que tu te décides à me donner le flash-drive. Un doigt peut-être ? Deux doigts ?

Yassen ouvrit les ciseaux. Sabina s'était figée. Son regard suppliait Alex.

— Non ! cria Alex.

Cray avait gagné. Alex avait bluffé pour libérer Sabina, mais il avait échoué.

Cray lut la défaite dans ses yeux.

— Donne-moi le flash-drive !

— Non.

— Commencez par le petit doigt, Yassen. Ensuite on les coupera un à un, jusqu'au pouce.

Les larmes ruisselaient sur le visage de Sabina. Elle ne pouvait cacher sa terreur.

Alex avait envie de vomir. Des rigoles de sueur coulaient sous son maillot. Il se sentait impuissant. Comme il regrettait de ne pas avoir écouté Jack et d'être venu ici !

Alex jeta le flash-drive sur le bureau et Cray le ramassa.

— Très bien ! Maintenant que ceci est réglé, oublions ces petites contrariétés et allons boire une bonne tasse de thé.

15

ALIÉNATION MENTALE ET BISCUITS SECS

On servit le thé dehors, sur la pelouse, une pelouse aussi vaste qu'un pré, dans un parc comme Alex n'en avait jamais vu. Cray s'était aménagé un décor fantasmagorique au cœur de la campagne anglaise, avec des dizaines de bassins, de fontaines, de temples miniatures et de grottes. Il y avait aussi une roseraie, un jardin de statues, un jardin entièrement rempli de fleurs blanches, un autre consacré aux herbes aromatiques disposées en rayon, comme les sections d'une horloge. Et partout il avait construit des répliques d'édifices célèbres. La tour Eiffel, le Colisée de Rome, le Taj Mahal, la Tour de Londres. Chacun était une copie exacte de l'original à l'échelle 1/100e et tous étaient mélangés pêle-mêle, pareils à des cartes postales dispersées sur le sol. Ce parc semblait celui d'un homme frustré de ne pouvoir dominer le monde et qui l'avait réduit à sa taille.

— Qu'en penses-tu, Alex ? demanda Cray en s'asseyant à la table.

— Plus original que les nains de jardin... Démentiel, je dirais.

Cray sourit.

Ils étaient cinq assis autour de la table. Cray, Yassen, le dénommé Henryk, Sabina et Alex. On avait enlevé les liens et le bâillon de Sabina. Aussitôt libérée, elle s'était jetée dans les bras d'Alex et lui avait murmuré à l'oreille :

— Je suis désolée. Pardonne-moi. J'aurais dû te croire.

C'étaient les seuls mots qu'elle avait prononcés. Depuis, elle s'était murée dans le silence. Alex devinait qu'elle avait peur mais voulait à tout prix le cacher. Cela semblait bien dans son caractère.

— Eh bien, nous voilà tous réunis, comme une famille heureuse ! s'exclama Cray.

Il désigna l'homme aux cheveux argentés et au visage grêlé qui se prénommait Henryk. De près, il était vraiment très laid. Ses yeux, grossis par ses lunettes, paraissaient légèrement rouges. Il portait une chemise en jean trop serrée qui moulait sa bedaine.

— Je ne crois pas t'avoir présenté Henryk, dit Cray à Alex.

— Je ne crois pas en avoir envie.

— Tu es un mauvais perdant, Alex. Henryk m'est très précieux. Il pilote les jumbo-jets.

Jumbo-jets. Une nouvelle pièce du puzzle.

— Où comptez-vous aller en jumbo-jet ? demanda Alex. Très loin, j'espère !

Cray esquissa un sourire.

— Nous en reparlerons plus tard. En attendant, voulez-vous que je fasse le service ? C'est du thé Earl Grey. J'espère que vous aimez. Et prenez des biscuits.

Cray remplit les cinq tasses puis posa la théière. Yassen n'avait pas dit un mot et Alex percevait son malaise. Autre chose l'étonnait : il avait toujours considéré Yassen comme son pire ennemi, or ici cela lui paraissait absurde. Son pire ennemi était Damian Cray.

— Il nous reste une heure avant de partir, poursuivit Cray. C'est pourquoi je pensais t'en apprendre un peu plus sur moi, mon cher Alex. Cela nous passera le temps.

— Ça ne m'intéresse pas beaucoup.

— Je ne te crois pas, dit Cray, dont le sourire se crispa légèrement. Au contraire, tu sembles t'intéresser à moi depuis un certain temps.

— Vous avez essayé de tuer mon père, intervint Sabina.

Cray se tourna vers elle, visiblement étonné d'entendre sa voix.

— C'est exact, admit-il. Et, si tu veux bien ne pas m'interrompre, je vais vous expliquer pourquoi.

Il se tut un instant. Un couple de papillons vint batifoler sur un massif de lavande.

— J'ai eu une vie extrêmement passionnante et privilégiée, commença Cray sur un ton de conteur. Mes parents étaient riches. Superriches, comme vous diriez. Mais pas super. Mon père était un homme d'affaires terriblement ennuyeux. Ma mère ne faisait pas grand-chose. Je ne l'aimais pas beaucoup non plus. J'étais enfant unique et naturellement, fabuleusement gâté. Il m'arrive de penser que je devais être plus riche à l'âge de huit ans que la plupart des gens à la fin de leur vie !

— On est vraiment obligés d'écouter tout ça ? coupa Alex.

— Si tu m'interromps encore, je demande à Yassen de manier le ciseau. Bien. Je reprends. J'ai eu ma première vraie dispute avec mes parents à l'âge de treize ans. Ils m'avaient envoyé à l'Académie royale de musique de Londres. J'étais un chanteur vraiment talentueux, mais je détestais cet endroit. Bach, Beethoven, Verdi, Mozart... Bon sang, j'étais un adolescent ! Moi je voulais devenir Elvis Presley ! Faire partie d'un groupe pop ! Être célèbre !

— Quand j'ai annoncé ça à mon père, il s'est mis en colère. Il méprisait tout ce qui était populaire. Il a pensé que je l'avais trahi et je crois que, malheureusement, ma mère a pensé la même chose. Ils rêvaient tous deux de me voir devenir chanteur d'opéra, ou quelque chose d'aussi épouvantable. Ils ne voulaient pas que je quitte l'Académie royale. En fait, jamais ils ne m'auraient laissé arrêter, et j'ignore ce qui se serait passé s'ils n'avaient pas été tués dans cet extraordinaire accident. Une voiture leur est tombée sur la tête ! Je dois avouer que ça ne m'a pas attristé, même si j'ai fait semblant. Vous savez ce que j'en ai déduit ? Que Dieu était de mon côté. Il voulait que je devienne célèbre et Il a décidé de me donner un coup de pouce.

Alex jeta un coup d'œil à Sabina. Assise sur sa chaise, rigide, elle n'avait pas touché à sa tasse de thé. Son visage était livide, mais elle se contrôlait et ne laissait transparaître aucune émotion.

— Bref, je me retrouvais dans une situation idéale, continua Cray. Mes parents ne pouvaient plus se mettre en travers de mon chemin et j'héritais de toute leur fortune. À vingt et un ans, je me suis acheté un appartement à Londres – un duplex avec terrasse – et j'ai fondé mon propre orchestre. Les Slam ! Vous connaissez sûrement la suite de l'histoire. Cinq ans après, j'ai commencé une carrière en solo, et très vite je suis devenu le chanteur le plus célèbre du monde. C'est à cette époque que j'ai commencé à réfléchir à ce qui m'entourait.

— Je voulais aider les gens. Toute ma vie j'ai voulu les aider. Je vois dans ton regard, Alex, que tu me prends pour un monstre. C'est faux. J'ai collecté des millions pour les œuvres de charité. Des milliards. Et je te rappelle, au cas où tu l'aurais oublié, que la reine m'a fait chevalier du royaume. Je suis *Sir* Damian Cray, même si je n'use pas de mon titre. Je ne suis pas snob. Une femme charmante, notre reine. Savez-vous combien d'argent a rapporté ma chanson de Noël *Un don pour les enfants* ? Assez pour nourrir un pays entier !

— Pourtant, parfois, être très riche et très célèbre ne suffit pas. Je voulais changer le monde. Mais comment faire si on ne m'écoutait pas ? Prenez le cas de l'institut Milburn à Bristol, par exemple. Ce laboratoire travaillait pour plusieurs marques de cosmétiques. J'ai découvert qu'ils testaient une partie de leurs produits sur des animaux. Je suis certain que, sur ce point, nous sommes du même avis, Alex. J'ai essayé de les arrêter. J'ai fait campagne pendant un an. Notre pétition a réuni plus de vingt mille signatures. Et pourtant ils n'ont pas voulu nous écouter. À la fin, comme j'avais beaucoup de relations et beaucoup d'argent, j'ai compris que le mieux serait d'éliminer le professeur Milburn. Ce que j'ai fait. Six mois après sa mort, le laboratoire a fermé. Point final. Plus d'animaux martyrisés.

Cray fit tourner le plateau de biscuits et en piocha un. Il avait l'air très content de lui.

— J'ai fait tuer un grand nombre de personnes au

cours des années suivantes. Par exemple, au Brésil, des gens extrêmement déplaisants détruisaient la forêt tropicale. Ils sont toujours là-bas... six pieds sous terre. Ensuite, des pêcheurs japonais refusaient d'entendre raison. Je les ai fait congeler dans leur propre frigo pour leur apprendre à ne plus chasser la baleine ! Puis, je me suis intéressé à cette entreprise dans le Yorkshire qui vendait des mines antipersonnel. J'ai horreur de ça. Alors je me suis arrangé pour faire disparaître tous les directeurs lors d'une randonnée dans le Lake District[1]. Ça a mis un terme à leurs activités.

« J'ai été contraint de faire des choses terribles, poursuivit Cray en se tournant vers Sabina. Ce n'est pas de gaieté de cœur que j'ai ordonné l'élimination de ton père. S'il n'avait pas enquêté sur moi, jamais ce ne serait arrivé. Mais tu dois comprendre que je ne pouvais pas le laisser anéantir mes plans.

Chaque cellule du corps de Sabina s'était pétrifiée, et Alex devinait qu'elle faisait un immense effort pour ne pas sauter à la gorge de Cray. De toute façon, Yassen, assis à côté d'elle, l'en aurait empêchée.

— Nous vivons dans un monde terrible, dit Cray. Et si l'on veut le modifier un peu, il faut parfois être extrémiste. Tout est là. Je suis très fier d'avoir aidé tant de gens et tant de causes différentes. Secourir les autres, l'*action caritative*, voilà l'œuvre de ma vie.

---

1. Région touristique du nord de l'Angleterre, réputée pour son côté sauvage.

Il s'interrompit pour grignoter un biscuit.

Alex se força à boire une gorgée de thé parfumé. Il en détesta le goût mais sa bouche était sèche.

— J'ai une ou deux questions à vous poser.

— Je t'en prie, Alex.

— La première concerne Yassen Gregorovitch, dit Alex en se tournant vers le Russe. Pourquoi travaillez-vous avec ce fou ?

Peut-être Cray allait-il réagir violemment, mais cela en valait la peine. Tout indiquait que le Russe ne partageait pas les vues de son employeur. Il avait l'air mal à l'aise, déplacé. Semer quelques graines de discorde entre eux pouvait s'avérer utile.

Cray fronça les sourcils mais ne dit rien. Il fit signe à Yassen de répondre à la question.

— Parce qu'il me paie, répondit le Russe simplement.

— J'espère que ta deuxième question est plus intéressante, ricana Cray.

— Oui. Vous essayez de nous faire croire que vous agissez uniquement pour de bonnes causes. Vous pensez que les résultats justifient ces assassinats. Je ne suis pas d'accord. Des tas de gens travaillent pour des œuvres caritatives et veulent changer le monde. Pourtant ils ne se conduisent pas comme vous.

— Et alors ? J'attends la suite.

— Très bien. Voici ma question. Qu'est-ce que

l'opération Vol d'Aigle ? Un plan pour rendre le monde meilleur ?

Cray rit doucement. Pendant un instant, il ressembla au garçon diabolique qu'il avait été autrefois, celui qui s'était réjoui de la mort de ses parents.

— Oui, c'est exactement cela. Les génies sont parfois incompris. Tu ne me comprends pas. Ta petite amie non plus. Pourtant je veux réellement changer le monde. Je l'ai toujours voulu. Et j'ai eu beaucoup de chance parce que ma musique a rendu mon désir possible. Au XXIe siècle, les personnalités du spectacle ont beaucoup plus d'influence que les hommes politiques. Je suis le seul à en avoir véritablement pris conscience.

Cray choisit un autre biscuit avant de poursuivre.

— Laisse-moi te poser une question, Alex. À ton avis, quel est le plus grand danger qui menace notre planète aujourd'hui ?

— Vous voulez dire... en dehors de vous ?

— Ne m'irrite pas, Alex, grimaça Cray.

— Je ne sais pas. Vous allez sûrement me le dire.

— La drogue ! s'exclama Cray, comme si c'était l'évidence même. Elle cause plus de malheurs et de ravages que n'importe quoi, tue plus de gens que la guerre ou le terrorisme. Sais-tu que c'est la principale cause de criminalité dans les sociétés occidentales ? Nous avons des enfants dans les rues qui prennent de l'héroïne et de la cocaïne. Et ils volent pour pouvoir assouvir leur besoin. Ce ne sont pas des criminels mais des victimes. C'est à la drogue qu'il faut s'attaquer.

— On a parlé de ça en classe, dit Alex qui n'avait pas envie d'un sermon.

— Toute ma vie j'ai combattu la drogue. J'ai participé à des campagnes de publicité pour le gouvernement. J'ai dépensé des millions pour bâtir des centres de désintoxication. J'ai écrit des chansons. Vous devez connaître *Lignes blanches...*

Il ferma les yeux et fredonna doucement :

Le poison est là, le poison est partout
Il coule à flots, il pourrit tout.
Qui saura arrêter ce jeu mortel ?
Qui ? Pour l'amour du Ciel !

Cray s'arrêta là et ajouta simplement :

— Moi, je sais. J'ai trouvé la solution. Voici le but de l'opération Vol d'Aigle. Un monde sans drogue. N'est-ce pas un joli rêve, Alex ? Cela ne vaut-il pas quelques sacrifices ? Réfléchis ! La fin du problème de la drogue. Grâce à moi, ce sera possible.

— Comment ? demanda Alex, qui redoutait presque la réponse.

— C'est facile. Les gouvernements ne font rien. La police non plus. Personne ne peut arrêter les dealers. Il faut donc remonter à la source. Réfléchis, Alex. D'où viennent ces drogues ? Je vais te le dire...

— Chaque année, des centaines et des centaines de tonnes d'héroïne arrivent d'Afghanistan. En particulier des provinces de Nagarhar et de Helmand. Sais-tu que la production a augmenté de 1 400 % depuis la chute des talibans ? Et pour cette seule région. Après l'Afghanistan, viennent la Birmanie et le Triangle d'or, avec environ cent mille hectares de terres consacrés à la production d'opium et d'héroïne. Tout le monde s'en moque. Et n'oublions pas le Pakistan, qui fabrique cent cinquante-cinq tonnes d'opium par an, dans des raffineries situées dans la région du Khyber et le long des frontières.

« De l'autre côté du monde, on trouve la Colombie. Principal producteur et distributeur de cocaïne, elle exporte aussi de l'héroïne et de la marijuana. Ce commerce rapporte trois milliards de dollars par an, Alex. Quatre-vingts tonnes de cocaïne, sept tonnes d'héroïne. L'essentiel atterrit dans les rues des villes américaines, dans les collèges. Un raz de marée de misère et de criminalité.

« Pourtant ce n'est qu'un fragment du tableau, dit Cray en levant une main pour compter les autres pays sur ses doigts. Il existe des raffineries en Albanie, des passeurs en Thaïlande, des champs de coca au Pérou, des plantations d'opium en Égypte. L'éphédrine, le produit chimique utilisé dans l'élaboration de l'héroïne est fabriqué en Chine. L'un des plus grands marchés de la drogue du monde se trouve à Tachkent, en Ouzbékistan.

« Voici les principales sources de drogue dans le monde. C'est là que commencent les problèmes. Ce sont mes cibles.

— Des cibles ? répéta Alex dans un murmure.

Damian Cray plongea la main dans sa poche et en sortit le flash-drive. Yassen fut soudain en alerte. Alex savait que le Russe avait une arme et s'en servirait s'il esquissait le moindre geste.

— Bien que tu ne sois pas supposé le savoir, ce flash-drive est en réalité une sorte de clé capable de déverrouiller les systèmes de sécurité les plus complexes, expliqua Cray. La clé d'origine a été mise au point par la NSA, l'Agence nationale de sécurité, et c'est le président des États-Unis qui la détient. Mon ami, le défunt Charlie Roper, était officier supérieur à la NSA. Son expérience et sa connaissance des codes m'ont permis de fabriquer un duplicata. Mais cela a coûté des efforts considérables. Tu n'as aucune idée de la puissance du processeur nécessaire pour reproduire une seconde clé.

— Le Gameslayer..., dit Alex. Jeu de tueur.

— Oui. Quelle couverture... idéale ! Beaucoup de techniciens. Beaucoup de technologie. Une usine possédant tout l'équipement rêvé. Et cela uniquement pour le flash-drive !

Il brandit le petit cigare de métal.

— Cette clé me donnera l'accès à deux mille cinq cents missiles nucléaires. Des missiles américains prêts à être lancés dès que l'ordre est donné. Mon intention est de pénétrer dans le système informatique de la NSA et de déclencher le lancement de vingt-cinq de ces missiles sur des cibles soigneusement choisies dans le monde.

Cray esquissa un sourire triste et ajouta :

— Il est presque impossible d'imaginer la dévastation causée par vingt-cinq missiles de cent tonnes chacun explosant en même temps. En Amérique du Sud, en Amérique centrale, en Asie, en Afrique... Presque tous les continents seront cruellement touchés. Cruellement, Alex. J'en ai bien conscience.

« Mais les champs de pavot seront anéantis. Les fermes, les fabriques, les raffineries, les voies de contrebande, les marchés. Sans trafiquants de drogue, plus de drogue. Bien sûr, des millions de personnes mourront. Mais des millions d'autres seront sauvées.

« Voilà en quoi consiste l'opération Vol d'Aigle, Alex. Elle marquera le commencement d'un nouvel âge d'or. Un jour d'union et de liesse pour l'humanité. Et ce jour est venu. Mon heure est enfin arrivée.

16

OPÉRATION VOL D'AIGLE

Alex et Sabina furent conduits dans une pièce du sous-sol de la maison. La porte claqua derrière eux et ils se retrouvèrent seuls.

Alex fit signe à Sabina de se taire et entreprit une fouille minutieuse des lieux. La porte se composait d'un lourd panneau de chêne, verrouillé de l'extérieur et probablement cadenassé. Un vasistas donnait dehors, mais il était obstrué de barreaux et de toute façon trop étroit pour permettre de s'y faufiler. La pièce avait dû servir de cave à vin, avec ses murs bruts et nus, et son sol en ciment. Hormis quelques étagères, il n'y avait aucun mobilier. Une ampoule pendait au plafond. Alex cherchait des micros cachés. Il voulait être tout à fait certain qu'on ne les entendait pas.

Après avoir exploré le moindre centimètre carré de la cave, Alex se tourna vers Sabina. Elle semblait étrangement calme après tout ce qui lui était arrivé. On l'avait enlevée, retenue prisonnière, ligotée, bâillonnée. Elle s'était retrouvée face à l'homme qui avait ordonné l'exécution de son père et exposé ses projets insensés de détruire la moitié du monde. Et voilà qu'elle se trouvait de nouveau enfermée, avec la quasi-certitude qu'Alex et elle ne sortiraient pas de là vivants. Sabina aurait dû être terrifiée, pourtant elle attendait tranquillement qu'Alex ait terminé ses investigations et l'observait comme si elle le voyait pour la première fois.

— Tu te sens bien, Sabina ?

— Alex...

Sa voix se brisa. Elle respira à fond et s'efforça de contenir son trop-plein d'émotions.

— J'ai du mal à croire ce qui m'arrive.

— Je sais, dit Alex. Je voudrais que ce ne soit pas vrai. Où t'ont-ils enlevée ?

— À l'hôpital. Ils étaient trois.

— Ils ne t'ont pas fait de mal ?

— Non. Ils m'ont fait peur. Et ils m'ont droguée. Quel sale type, ce Damian Cray ! Je ne l'imaginais pas si petit !

Alex sourit malgré lui. Sabina n'avait pas changé. Mais elle poursuivit d'un air grave :

— Dès que je l'ai vu, j'ai compris que tu avais dit la vérité. Et je m'en suis voulu à mort de ne pas t'avoir cru. Tu es vraiment ce que tu disais. Un espion !

— Pas exactement.

— Le MI6 sait où tu es ?

— Non.

— Mais tu dois bien avoir des gadgets. Tu disais qu'ils t'en donnaient. Tu n'as pas des lacets explosifs ou un truc de ce genre pour nous sortir d'ici ?

— Malheureusement non. Le MI6 n'est au courant de rien. Après ce qui s'est passé à Liverpool Street, je me suis débrouillé tout seul tellement j'étais en colère qu'ils m'aient fait passer pour un menteur à tes yeux. Je me suis comporté comme un idiot. Je veux dire... j'avais le flash-drive et je l'ai rapporté à Cray !

— Tu es venu à mon secours.

— C'est réussi !

— Après la façon dont je t'ai traité, tu aurais pu me laisser tomber.

— Je croyais avoir tout prévu. Je pensais qu'ils te laisseraient partir et que tout s'arrangerait. Je ne me doutais pas que...

Rageur, Alex donna un coup de pied dans la porte. Elle était solide comme un roc.

— Il faut l'empêcher d'agir, Sabina, reprit Alex. Il faut faire quelque chose.

— Il a peut-être tout inventé. Quand on y réfléchit, c'est délirant. Il dit qu'il veut lancer vingt-cinq missiles dans différents coins de la planète. Des missiles américains. Mais les missiles sont contrôlés par la Maison Blanche. Seul le président peut donner l'ordre. Tout le monde sait ça. Alors comment va-t-il s'y prendre ? Aller à Washington et s'introduire dans la Maison Blanche ?

— J'aimerais que tu aies raison. Mais Cray est à la tête d'une formidable organisation. Il a passé des années et dépensé des millions à mettre cette opération sur pied. Et Yassen Gregorovitch travaille pour lui. Cray sait sûrement une chose que nous ignorons.

Alex s'approcha de Sabina. Il avait envie de la prendre dans ses bras mais il s'arrêta devant elle, intimidé.

— Écoute, Sabina. Ça va te paraître très prétentieux et tu sais que, en temps normal, jamais je ne te dirais ce que tu dois faire. Mais j'ai déjà vécu ce genre de situation.

— Comment ça ? Tu veux dire être enfermé par un maniaque qui projette de détruire le monde ?

— Oui. Ça m'est déjà arrivé, soupira Alex. Mon oncle m'a entraîné à devenir un espion quand j'étais encore en culottes courtes. Évidemment, je ne m'en rendais pas compte. Tout ce que je t'ai raconté est vrai. J'ai suivi un entraînement de commando avec les SAS et... je connais un certain nombre de choses. Il se peut qu'on se retrouve en présence de Cray. Si ça se produit, je te demande de me laisser faire. Tu devras m'obéir. Sans discuter...

— Ça, pas question, protesta Sabina. N'oublie pas qu'il a voulu tuer mon père. Et si jamais Cray laisse traîner le moindre couteau de cuisine à ma portée, tu peux être sûr que je m'en servirai contre lui...

— De toute façon, il est peut-être déjà trop tard, dit Alex d'un air sombre. Cray risque de nous abandonner ici. Il est sans doute même déjà parti.

— Je ne crois pas. Il a besoin de toi. Je ne sais pas pourquoi. Peut-être parce que tu as failli le battre.

— Je suis content que tu sois là.

— Pas moi, dit Sabina.

Dix minutes plus tard, la porte s'ouvrit et Yassen Gregorovitch entra. Il leur tendit deux combinaisons blanches portant des numéros rouges sur les manches.

— Enfilez ça, dit le Russe.

— Pourquoi ? demanda Alex.

— Ordre de Cray. Vous venez avec nous. Faites ce qu'on vous dit.

Alex hésitait encore.

— Qu'est-ce que c'est que ces vêtements ?

Quelque chose de familier dans ces tenues l'inquiétait.

— De la polyamide, expliqua Yassen. On les utilise en cas de guerre chimique. Mettez-les.

Alex enfila la combinaison par-dessus ses vêtements

avec un sentiment croissant de crainte. Sabina fit de même. Les combinaisons les enveloppaient entièrement. Elles comprenaient même une capuche. Alex prit soudain conscience que, une fois habillés, ils seraient méconnaissables. Impossible de deviner qu'ils n'étaient pas des adultes.

— Maintenant suivez-moi, ordonna Yassen.

Ils traversèrent la maison et sortirent dans le cloître. Trois véhicules étaient garés sur la pelouse : une Jeep et deux camions bâchés, tous portant les mêmes inscriptions peintes en rouge que sur les combinaisons. Une vingtaine d'hommes se tenaient autour des véhicules, tous revêtus de la même tenue. Henryk, le pilote néerlandais, était assis dans la Jeep. Il nettoyait nerveusement ses lunettes. Damian Cray, à côté, lui parlait. En apercevant Alex, le chanteur s'interrompit et vint à sa rencontre. Il marchait d'un pas vif, vibrant d'excitation, le regard plus brillant que d'habitude.

— Te voilà ! s'exclama-t-il comme s'il accueillait Alex à une réception. Parfait ! J'ai décidé de vous emmener avec moi. M. Gregorovitch a essayé de m'en dissuader, car le problème avec les Russes est qu'ils manquent d'humour. Vois-tu, Alex, rien de tout ceci ne serait arrivé sans ton intervention. Tu m'as rapporté le flash-drive, il est donc juste que tu voies comment je l'utilise.

— Je préférerais vous voir arrêté et expédié à la prison de Broadmoor, répliqua Alex.

— Ton insolence me plaît ! s'esclaffa Cray. Mais je dois t'avertir que Yassen te surveillera de près. Si tu tentes quoi que ce soit, ne serait-ce que cligner de l'œil sans permission, il tuera ta petite copine, et toi ensuite. Compris ?

— Où allons-nous ?

— Nous allons prendre l'autoroute de Londres. Le trajet durera deux heures à peine. Toi et Sabina monterez dans le premier camion avec Yassen. Au fait, je t'annonce que l'opération Vol d'Aigle a commencé. Tout est en place. J'espère que tu vas t'amuser.

Il leur tourna le dos et monta dans la Jeep. Quelques minutes plus tard, le convoi démarra, franchit le portail et remonta l'allée jusqu'à la grande route. Alex et Sabina se tenaient assis l'un à côté de l'autre sur une étroite banquette de bois. Six hommes les entouraient, tous armés de fusils automatiques qu'ils portaient en bandoulière sur leur combinaison blanche. Alex crut reconnaître l'un des types d'Amsterdam. En tout cas il lui ressemblait comme un jumeau. Teint pâle, cheveux ternes, yeux noirs et vides. Le visage impénétrable, Yassen était assis en face d'eux. Lui aussi avait revêtu une combinaison blanche. Il regardait Alex fixement mais ne disait rien.

Ils roulèrent pendant deux heures sur l'autoroute M4 en direction de Londres. De temps à autre Alex jetait un coup d'œil à Sabina et elle lui souriait nerveusement. Ce monde n'était pas le sien. Ces hommes, ces fusils mitrailleurs, ces combinaisons... autant d'images de cauchemar surgies de nulle part, qui n'avaient aucun sens ni aucune issue. Alex était tout aussi dérouté. Les combinaisons de protection soulevaient une question redoutable. Cray possédait-il des armes biochimiques ? Et, si oui, comptait-il les utiliser ?

Enfin ils quittèrent l'autoroute. Par le hayon arrière, Alex vit un panneau indiquant l'aéroport de Heathrow et il comprit que c'était leur destination. Il se rappela l'avion dans l'usine et les paroles de Cray au sujet de Henryk : *Il m'est très précieux. Il pilote les jumbo-jets*. L'aéroport faisait partie du plan, mais cela n'expliquait pas tout. Cela n'expliquait pas le président des États-Unis, ni les missiles nucléaires, ni le nom de l'opération. Alex s'en voulait terriblement de son manque de perspicacité. Une sorte de tableau commençait à prendre forme, mais l'image était encore brouillée.

Le camion s'arrêta. Personne ne fit un geste. Yassen aboya :

— Dehors !

Alex sortit le premier puis aida Sabina à descendre. Le contact de sa main dans la sienne le réconforta. Soudain il entendit un vrombissement et aperçut un avion qui descendait doucement du ciel. Les camions et la Jeep stationnaient au niveau supérieur d'un parking à étages désaffecté – héritage de Sir Arthur Lunt, le père de Cray –, situé en bordure de l'aéroport d'Heathrow, près de la piste principale. Le seul autre véhicule était une carcasse calcinée traînant sur le sol jonché de détritus et de vieux bidons rouillés. Alex ne comprenait pas la raison de leur présence ici. Cray attendait sûrement un signal. Quelque chose allait se produire. Mais quoi ?

À deux heures et demie précises, Cray leur cria d'approcher. Il avait fait le trajet en Jeep avec Henryk. Sur le siège arrière, Alex remarqua un émetteur radio. Henryk tourna un cadran et l'appareil émit un sifflement. Cray soignait la mise en scène. L'émetteur radio était connecté à un haut-parleur afin que tout le monde profite pleinement du spectacle.

— Attention, ça va commencer ! annonça Cray en ricanant. Pile à l'heure !

Alex leva les yeux. Un second avion approchait. Encore trop haut et trop loin pour qu'on le distingue nettement ; pourtant sa silhouette semblait vaguement familière à Alex. Tout à coup une voix grésilla dans le haut-parleur de la Jeep.

— Attention, tour de contrôle. Ici le vol 118 de Millenium Air en provenance d'Amsterdam. Nous avons un problème.

La voix parlait en anglais mais avec un fort accent néerlandais. Après un temps mort, puis un sifflement, une voix de femme lui répondit.

— Compris, MA 118. Quel est votre problème ? Terminé.

— SOS ! SOS ! lança la voix du pilote. Ici MA 118. Vous avons le feu à bord. Demandons autorisation d'atterrissage immédiat.

Nouveau temps mort. Alex imagina la panique dans la tour de contrôle. Pourtant la voix féminine répondit avec calme.

— Bien reçu votre SOS, MA 118. Nous vous voyons sur notre radar. Virez à 0-90. Descendez à trois mille pieds.

— Tour de contrôle, reprit le pilote. Ici le capitaine Schroeder du vol MA 118. Je dois vous avertir que je transporte des produits chimiques extrêmement dangereux pour le compte du ministère de la Défense. Nous sommes dans une situation critique. Veuillez donner l'alerte.

— Nous devons connaître la nature exacte de votre chargement, répondit aussitôt la femme. À quel endroit il se trouve et en quelle quantité.

— Tour de contrôle, nous transportons un gaz neurotoxique. Je ne peux être plus précis. Il s'agit d'un produit expérimental hautement nocif. Nous avons trois fûts dans la soute. Le feu a pris dans la cabine principale. SOS ! SOS !

L'avion volait beaucoup plus bas et Alex se souvint où il l'avait vu. C'était l'avion cargo de l'usine d'Amsterdam. De la fumée s'échappait de la carlingue. Soudain des flammes jaillirent et léchèrent les ailes. Il paraissait évident que l'avion courait un terrible danger. Mais Alex, lui, savait que tout cela était factice.

La tour de contrôle guidait l'appareil.

— MA 118, les services de secours ont été alertés. Nous commençons l'évacuation immédiate de l'aéroport. Passez sur vingt-sept à gauche. Vous pouvez atterrir.

Soudain, dans tout l'aéroport, des sirènes se mirent à hurler. L'avion volait encore à deux ou trois mille pieds, traînant dans son sillage des langues de feu. Il fallait admettre que le trucage était très convaincant. Tout à coup, dans l'esprit d'Alex, les pièces du puzzle se précisèrent. Le plan de Cray commençait à se dessiner.

— On y va ! lança Cray.

Alex et Sabina furent reconduits dans le camion. Cray remonta dans la Jeep à côté de Henryk, qui conduisait, et ils démarrèrent. Alex avait maintenant du mal à observer ce qui se passait car il n'apercevait que l'arrière du camion. Mais il devina qu'ils quittaient le parking et suivaient la clôture d'enceinte de l'aéroport. Les sirènes d'alarme hurlaient de plus en plus fort, sans doute parce qu'ils s'en approchaient. D'autres sirènes, de police celles-là, résonnaient au loin. La circulation s'était brusquement intensifiée. Tous les automobilistes fuyaient le secteur.

— Qu'est-ce qu'il fait ? chuchota Sabina.

— L'avion n'est pas en feu, répondit Alex. Cray les a bluffés pour faire évacuer l'aéroport et y rentrer.

— Mais pourquoi ?

— Ça suffit, intervint Yassen. Taisez-vous.

Il se pencha et sortit de sous son siège deux masques à gaz qu'il tendit à Alex et Sabina.

— Mettez ça.

— Pour quoi faire ? demanda Sabina.

— Obéissez.

— Ça va me décoiffer, grommela Sabina en mettant le masque.

Alex fit de même, ainsi que Yassen et tous les hommes du camion. Cette fois ils étaient totalement anonymes. Alex ne put s'empêcher d'admettre que le plan de Cray était astucieux. Une diversion parfaite pour pénétrer dans l'aéroport. Le personnel de la sécurité devait maintenant savoir qu'un avion transportant un dangereux gaz neurotoxique allait se poser en catastrophe. L'aéroport était aux prises avec une évacuation d'urgence. Quand Cray et son armée miniature se présenteraient à la grille principale, il y avait peu de risques qu'on leur demande leurs papiers d'identité. Leurs tenues de protection biochimique leur donnaient une allure très officielle, et ils circulaient dans des véhicules à l'air tout aussi officiel. Quant à leur arrivée précoce sur les lieux, personne ne la trouverait suspecte mais plutôt miraculeuse.

Les choses se déroulèrent exactement comme Alex l'avait imaginé.

La Jeep s'arrêta au portail sud de l'aéroport. Les gardes semblaient très jeunes. L'un d'eux ne travaillait là que depuis quelques semaines et l'alerte rouge le faisait paniquer. L'avion cargo n'avait pas encore atterri mais c'était imminent. Le feu se développait, visiblement hors de contrôle. Et voici qu'arrivaient deux camions et une Jeep de l'armée remplis d'hommes en combinaison blanche et masque à gaz. Il n'allait pas discuter.

Cray se pencha à la portière. Sous sa capuche et son masque il était aussi anonyme que ses hommes.

— Ministère de la Défense ! aboya-t-il à l'adresse des gardes. Division des armes biochimiques.

— Allez-y !

Les gardes paraissaient encore plus impatients qu'eux de les laisser entrer.

L'avion toucha le sol. Deux camions de pompiers et toute une panoplie de véhicules de secours s'élancèrent à sa rencontre. Le camion où se trouvait Alex dépassa la Jeep puis s'arrêta. Alex regarda par le hayon arrière et assista à toute la scène.

Le premier à entrer en action fut Damian Cray.

Assis dans la Jeep à côté du conducteur, il sortit un émetteur radio et dit :

— Il est temps de corser un peu le jeu. Nous allons leur fournir une vraie situation d'urgence.

Alex pressentit ce qui allait se produire. Cray appuya sur un bouton de l'émetteur et, dans la seconde, l'avion cargo explosa. Il disparut dans une énorme boule de feu. Des fragments de métal se dispersèrent dans toutes les directions. Du kérosène en feu se répandit sur la piste et sembla l'enflammer. Les véhicules de secours s'étaient déployés, sans doute pour encercler l'avion en perdition, mais Alex comprit qu'ils avaient reçu un contrordre de la tour de contrôle. « Faites demi-tour ! Décampez de là ! Vite ! » Il n'y avait plus rien à faire. L'équipage avait de toute évidence péri dans l'explosion, et des gaz neurotoxiques avaient peut-être commencé à se propager.

Cray avait dupé le pilote de l'avion. Il l'avait tué avec le même sang-froid impitoyable que celui dont il faisait preuve pour éliminer toux ceux qui le gênaient. Le pilote avait été payé pour simuler un incendie à bord et un atterrissage en catastrophe. Il ignorait qu'une charge d'explosifs se trouvait cachée dans l'avion. Peut-être avait-il envisagé le risque de passer quelque temps dans une prison anglaise, mais il ne se doutait pas que son travail consistait en réalité à mourir.

Sabina ne regardait pas. Elle avait détourné la tête. Alex eut pitié d'elle. Elle nageait en plein cauchemar. Et l'ironie voulait que toute cette histoire ait commencé par des vacances dans le sud de la France !

Le camion démarra brutalement. Ils roulaient dans l'enceinte de l'aéroport. Cray s'était débrouillé pour court-circuiter tout le système de sécurité. Personne ne leur prêterait attention. Du moins pendant un moment. Mais bien des questions restaient en suspens. Que venaient-ils chercher ? Pourquoi ici ?

Puis ils ralentirent et s'arrêtèrent de nouveau. Cette fois ils étaient arrivés à destination. Alex regarda à l'extérieur et tout prit un sens.

Ils étaient garés devant un Boeing 747-200B. Mais ce n'était pas tout. L'appareil était peint en bleu et blanc, avec les mots UNITED STATES OF AMERICA écrits le long du fuselage, la bannière étoilée sur la queue et, juste au-dessous de la porte, un aigle tenant un bouclier. Un aigle qui semblait se moquer d'Alex. L'aigle qui avait donné son nom au projet de Cray. Il s'agissait du sceau présidentiel et ce Boeing était l'avion du président des États-Unis d'Amérique : Air Force One. La raison de la présence à Heathrow de Damian Cray.

Alex l'avait vu à la télévision, dans le bureau de Blunt. Air Force One avait amené le président américain en Angleterre. Il le transportait partout dans le monde, volant juste au-dessous de la vitesse du son. Alex savait peu de choses sur cet avion. D'ailleurs toute information sur Air Force One était quasiment classée top secret. Toutefois, il connaissait un détail important : presque tout ce qui pouvait se faire à la

Maison Blanche pouvait se faire aussi dans l'avion, même en plein ciel.

Presque tout. Y compris déclencher une guerre nucléaire.

Deux sentinelles montaient la garde au pied de la passerelle. Des soldats en tenue de combat kaki et béret noir. Quand Cray descendit de la Jeep, ils levèrent leur arme. Ils avaient entendu les sirènes d'alarme de l'aéroport mais ignoraient si cela les concernait.

— Que se passe-t-il ? demanda l'un d'eux.

Damian Cray ne répondit pas. Sa main jaillit de sa poche, tenant un pistolet automatique. Il tira deux fois. On entendit à peine les détonations. Les soldats firent une petite pirouette et s'effondrèrent sur le tarmac. Personne n'avait rien vu. Tous les regards étaient rivés sur la piste d'atterrissage et les débris enflammés de l'avion cargo.

Une bouffée de haine envahit Alex. La lâcheté de Cray le révoltait. Les soldats américains avaient été surpris à l'improviste. Le Président ne se trouvait pas là et Air Force One ne devait décoller que le lendemain. Ils étaient donc détendus. Cray aurait pu les assommer ou les capturer, mais il avait jugé plus facile de les tuer froidement. Il remit son pistolet dans sa poche. Il ne pensait déjà plus aux deux vies humaines qu'il venait de balayer. Sabina avait l'air atterrée.

— Vous deux, attendez ici, ordonna Cray en ôtant son masque à gaz.

Son visage était cramoisi d'excitation.

Yassen Gregorovitch et la moitié de ses hommes avaient déjà gravi la passerelle. Les autres ôtèrent leur combinaison blanche, sous laquelle ils portaient un uniforme de l'armée américaine. Cray avait pensé à tout. Si quelqu'un s'arrachait à la contemplation de la catastrophe sur la piste d'atterrissage, il constaterait que Air Force One était sous bonne garde et que tout paraissait normal. En fait, rien n'était moins vrai.

D'autres coups de feu éclatèrent à l'intérieur de l'avion. Cray avait donné des ordres clairs : pas de prisonniers. Quiconque se dressait sur son chemin serait éliminé sans merci.

Il attendait tranquillement à côté d'Alex la fin de l'assaut.

— Bienvenue au salon VIP, dit-il. Tu aimeras peut-être savoir qu'il s'agit du nom donné à cette partie de l'aéroport. (Il désigna un bâtiment en verre et acier, juste de l'autre côté de l'avion.) C'est ici qu'ils vont tous. Présidents, Premiers ministres, etc. J'y suis moi-même passé une ou deux fois. Très confortable ! Et pas de file d'attente pour le contrôle des passeports !

— Laissez-nous partir, dit Alex. Vous n'avez plus besoin de nous.

— Tu préfères que je vous tue tout de suite, ou un peu plus tard ?

Sabina regarda Alex. Sans commentaire.

Yassen apparut à la porte de l'avion et fit un signal. Air Force One était entre leurs mains. Toute résistance avait cessé. Les hommes passèrent devant Yassen et redescendirent la passerelle. L'un d'eux avait été blessé au bras. Au moins une personne avait essayé de se défendre !

— Nous pouvons monter à bord, dit Cray.

Tous ses hommes étaient maintenant déguisés en soldats américains et formaient un demi-cercle au pied de la passerelle. Un vrai mur de défense en cas de contre-attaque. Henryk monta le premier. Alex et Sabina lui emboîtèrent le pas, suivis de Cray, pistolet au poing. Alex calcula que, avec Yassen, ils ne seraient plus que cinq dans l'avion, et il remisa cette information dans un coin de sa tête, en se disant que les chances seraient un peu plus équilibrées.

Sabina marchait comme une somnambule. Alex devinait ce qu'elle ressentait. Ses propres jambes refusaient presque de le porter, de fouler ces marches réservées au personnage le plus puissant de la planète. La porte se dressait devant lui, ornée d'un autre aigle sur le côté. Yassen apparut sur le seuil, traînant un corps en pantalon et gilet bleu : un des stewards de l'avion. Encore un innocent sacrifié au rêve de ce fou de Cray.

Alex entra dans l'avion.

Air Force One était unique au monde. Pas de rangées de sièges, pas de classe économique. Rien ne ressemblait, même de loin, à l'intérieur d'un jumbo-jet. On l'avait aménagé pour le Président et son entourage sur trois niveaux : bureaux et chambres à coucher, salle de conférence et cuisine. Mille deux cents mètres carrés de surface totale. Il y avait même une table d'opération chirurgicale, que personne n'avait encore utilisée. Alex arriva dans une vaste salle de séjour. Tout y avait été conçu pour le confort : moquette épaisse, sofas moelleux et fauteuils bas, lampes de style ancien posées sur des tables accueillantes. Les couleurs dominantes étaient le beige et le brun, doucement éclairées par des dizaines d'ampoules dissimulées dans le plafond. Un couloir longeait le flanc de la cabine, desservant des petits bureaux et des salons intimes, équipés d'autres sofas et d'autres tables. Les fenêtres étaient masquées par des rideaux de couleur fauve.

Yassen avait fait enlever les cadavres mais il subsistait des taches de sang sur la moquette. Le reste de l'avion semblait nettoyé avec soin. Contre une cloison se trouvait un chariot à roulettes sur lequel étaient disposés des verres de cristal étincelants, gravés d'un dessin de l'avion et de son nom : Air Force One. Sur l'étagère inférieure du bar roulant s'alignaient des bouteilles et des flacons : rares whiskies pur malt et vins fins. Pas de doute, le grand luxe, réservé à une poignée de privilégiés à qui l'on offrait un service d'un raffinement exceptionnel.

Même Cray, qui possédait son jet privé, parut impressionné. Il se tourna vers Yassen.

— Ça y est ? On a liquidé tout le monde ?

Yassen acquiesça de la tête.

— Alors allons-y, dit Cray. Je prends Alex avec moi. Je veux lui montrer... Vous, attendez ici.

Cray fit un signe à Alex. Alex n'avait pas le choix. Il jeta un dernier regard à Sabina pour essayer de lui transmettre un message muet : *Je vais trouver quelque chose. Je vais nous sortir de là.* Mais il en doutait. L'énormité de l'opération Vol d'Aigle avait fini par le terrasser. Air Force One ! L'avion présidentiel. Jamais personne ne s'en était emparé et l'on comprenait pourquoi. Qui d'autre aurait pu être assez fou pour y songer ?

Cray poussa Alex vers un escalier avec le canon de son automatique. Alex espérait presque rencontrer quelqu'un. Un soldat, ou un membre de l'équipage qui aurait réussi à échapper à Yassen et se planquerait dans un coin. Mais il savait que Yassen ne laissait personne s'échapper. C'était un professionnel. S'il avait affirmé s'être débarrassé de tout le personnel de bord, on pouvait le croire. Alex préférait ne pas savoir combien d'hommes et de femmes avaient été tués.

En haut de l'escalier, ils entrèrent dans une pièce remplie du sol au plafond de matériel électronique.

Des ordinateurs extrêmement sophistiqués trônaient à côté de téléphones et de systèmes de radars élaborés, équipés de tableaux de commande criblés de boutons, de manettes et de clignotants lumineux. Alex comprit qu'ils se trouvaient dans le centre de communications de Air Force One. Un technicien devait y travailler lorsque les hommes de Cray avaient investi l'avion : la porte n'était pas verrouillée.

— Personne ! dit Cray. Ils n'attendaient pas de visiteurs. La place est à nous ! (Cray sortit le flash-drive de sa poche et ajouta :) Voici l'instant de vérité, Alex. Et cela grâce à toi. Mais je t'en prie, ne bouge pas. Je ne tiens pas à te tuer avant que tu aies tout vu, pourtant je n'hésiterai pas à te descendre si tu bouges ne serait-ce qu'un cil.

Cray savait ce qu'il faisait. Il posa le pistolet sur la table à côté de lui, à quelques centimètres de sa main. Ensuite il ouvrit le flash-drive et l'inséra dans une prise de l'ordinateur. Enfin il s'assit et pianota une série de commandes sur le clavier.

— Je ne peux pas t'expliquer comment ça fonctionne. Nous n'avons pas le temps et, de toute façon, j'ai toujours trouvé les ordinateurs et tous ces machins mortellement ennuyeux. Ceux-ci sont exactement les mêmes qu'à la Maison Blanche, et ils sont connectés à Mount Cheyenne, où nos amis américains ont leur centre secret de contrôle des missiles nucléaires. La première chose à connaître pour faire partir ces missiles sont leurs codes de lancement. Ils changent chaque jour et sont communiqués au Président, où qu'il se trouve, par la NSA, l'Agence de sécurité nationale. J'espère que je ne t'ennuie pas, Alex ?

Alex ne répondit pas. Il regardait le pistolet, évaluait les distances.

— Le Président les a sur lui en permanence. Sais-tu que le président Carter les avait égarés une fois ? Il avait envoyé son costume au nettoyage. Mais c'est une autre histoire. Les codes sont transmis par Milstar, le système de transmission de stratégie et de commandement militaires. En fait, il s'agit d'un système de communication par satellite. Un jeu des codes est envoyé au Pentagone, le second ici. Les codes sont dans l'ordinateur et...

Alex entendit un bourdonnement et plusieurs lumières vertes du tableau de commandes s'allumèrent. Cray poussa un cri de plaisir. Les petites lumières vertes se reflétaient sur son visage.

— ... le voilà ! Rapide, hein ? Aussi étrange que cela puisse paraître, je contrôle presque tous les missiles nucléaires des États-Unis. Tu ne trouves pas ça amusant, Alex ?

Cray pianota de nouveau sur le clavier et, pendant un instant, il fut métamorphosé. En voyant ses doigts virevolter sur les touches, Alex se souvint du Damian Cray qui jouait du piano à Earls Court et au stade de

Wembley. Un sourire rêveur flottait sur son visage, il avait le regard lointain.

— Bien entendu, ils ont mis au point un système de sécurité intégré, poursuivit Cray. Les Américains ne tiennent pas à ce que n'importe qui déclenche la mise à feu de leurs missiles ! Seul le Président peut le faire, grâce à ceci...

Il sortit de sa poche une petite clé en argent. Alex supposa qu'il s'agissait d'un duplicata, également fourni par Charlie Roper. Cray inséra la clé dans une serrure en argent tarabiscotée du tableau de commandes, qui permettait de soulever un petit panneau. Sous le panneau se trouvaient deux boutons rouges. L'un déclenchait le lancement des missiles. Sur le second, un mot capta l'intérêt d'Alex : AUTODESTRUCTION.

Cray, lui, ne s'intéressait qu'au premier.

— Voici le fameux bouton, dit-il. Le grand bouton. Le bouton sur lequel on a tellement écrit ! Le bouton qui signifie la fin du monde. Mais il n'est sensible qu'à l'empreinte digitale. Sans l'empreinte du Président, tu peux rentrer te coucher.

Cray pressa de l'index le bouton de lancement. Rien ne se produisit.

— Tu vois ? Ça ne marche pas.

— Donc vous avez perdu votre temps !

— Oh non ! mon cher Alex. Car, vois-tu, j'ai eu récemment le privilège – l'immense privilège –, de serrer la main du président. J'ai insisté pour cela. C'était si important pour moi. Mais j'avais sur la paume une pellicule de latex spécial et, en lui serrant la main, j'ai pris ses empreintes digitales. Génial, n'est-ce pas ?

Cray sortit de sa poche ce qui ressemblait à un mince gant de plastique et l'enfila sur sa main droite. Alex remarqua que les extrémités des doigts étaient moulées. En effet, c'était génial. Les empreintes digitales du Président avaient été dupliquées sur la surface de latex.

Désormais, Cray avait le pouvoir de déclencher une attaque nucléaire.

— Attendez, dit Alex.

— Quoi ?

— Vous faites une erreur. Une erreur terrible. Vous croyez pouvoir améliorer les choses, mais c'est faux ! Vous allez tuer des milliers, des centaines de milliers de gens, et la plupart sont innocents. Ils n'ont rien à voir avec la drogue...

— Les sacrifices sont parfois nécessaires. Si un millier de gens tués en sauvent un million, quel mal y a-t-il ?

— Un mal immense. Que faites-vous des retombées ? Avez-vous pensé aux conséquences sur le reste de la planète ? Vous vous prétendez un défenseur de l'environnement, mais vous allez le détruire.

— Juste le prix à payer. Un jour, le monde entier

m'approuvera. Il faut savoir se montrer cruel pour être généreux.

— C'est une pensée de fou !

La main de Cray avança vers le bouton rouge.

Alex plongea en avant. Il ne s'inquiétait plus de sa propre sécurité. Ni de celle de Sabina. Ils y laisseraient leur vie mais il fallait tout tenter pour empêcher ce désastre. Des millions de gens mourraient s'il n'arrêtait pas Cray. Vingt-cinq missiles nucléaires tombant du ciel simultanément ! Cela dépassait l'imagination.

Cray avait anticipé son geste. Il leva le pistolet automatique et l'abattit sur le crâne d'Alex. Celui-ci ressentit une violente douleur et recula, sonné. La pièce se mit à tournoyer, il chancela, puis s'écroula.

— Trop tard, murmura Cray.

Il allongea le bras, effectua un petit arc de cercle avec son index tendu, s'immobilisa une fraction de seconde et pointa le doigt sur le bouton rouge.

17

ATTACHEZ VOS CEINTURES !

Les missiles avaient été activés.

Dans toute l'Amérique, dans les déserts et les montagnes, sur les routes et les voies ferrées, et même au large des côtes, le processus de lancement s'enclencha automatiquement. Les bases du Nord-Dakota, du Montana et du Wyoming passèrent brutalement en alerte rouge. Les sirènes se mirent à hurler. Les ordinateurs s'emballèrent. La panique allait se propager en quelques minutes à travers le monde.

Une à une, les vingt-cinq fusées jaillirent, dans un instant de beauté dévastatrice.

Huit Minutemen, huit Peacekeeper, cinq Poséidon et quatre Trident D5 s'élevèrent dans l'atmosphère à la même seconde, filant à des vitesses proches de vingt-quatre mille kilomètres à l'heure. Certains étaient lancés depuis des silos sous-terrains, d'autres depuis des wagons spécialement adaptés, d'autres depuis des sous-marins. Et personne ne savait qui en avait donné l'ordre. Ce feu d'artifice de plusieurs milliards de dollars allait à jamais bouleverser le monde.

Dans quatre-vingt-dix minutes, tout serait terminé.

Dans la salle des communications, les écrans d'ordinateurs clignotaient en rouge. La régie de commande tout entière clignotait de rouge. Cray se leva. Un sourire serein flottait sur son visage.

— Et voilà. Plus personne n'y peut rien.

— Ils les stopperont ! dit Alex. Dès qu'ils réaliseront ce qui se passe, ils appuieront sur un bouton et les missiles s'autodétruiront.

— Je crains que ce ne soit pas aussi facile, Alex. Tous les protocoles de mise à feu ont été respectés. L'ordinateur d'Air Force One a transmis l'ordre de lancement, et lui seul peut l'annuler. Je t'ai vu regarder le petit bouton rouge, juste ici. AUTODESTRUCTION. Malheureusement pour toi, tu n'auras plus l'occasion de t'en approcher, mon cher Alex. Car nous partons.

Cray fit un geste avec son arme et Alex dut quitter le centre de communications pour rejoindre la cabine principale. Le coup de crosse de Cray lui avait laissé une vilaine bosse et une migraine. Il avait besoin de reprendre des forces. Mais combien de temps lui restait-il ?

Yassen et Sabina les attendaient. Sabina voulut aussitôt s'approcher d'Alex mais Yassen la retint. Cray se laissa choir sur le sofa à côté d'elle.

— Il est temps de décoller ! dit-il en souriant. Tu as sûrement conscience, mon cher Alex, qu'une fois en l'air cet avion est quasiment indestructible. Pour une évasion, c'est le moyen de transport idéal ! Tu apprécies la beauté du plan, j'espère ? Cet appareil est conçu pour résister même à un souffle thermonucléaire. Ce qui d'ailleurs ne changerait rien. Même si Air Force One était abattu, les missiles poursuivraient leur course et le monde serait sauvé.

Alex s'efforça de réfléchir pour mettre ses idées au clair.

Ils étaient cinq personnes à bord. Sabina, Yassen, Damian Cray, Henryk dans le cockpit, et lui-même. Par la porte de l'avion, on apercevait le cordon de faux soldats américains qui montaient la garde au pied de la passerelle. À supposer que quelqu'un regarde de leur côté, il ne remarquerait rien d'anormal. De toute façon, les autorités étaient bien trop absorbées par la catastrophe qui venait de survenir.

Si Alex devait agir – à condition que ce soit possible –, il fallait impérativement le faire avant le décollage. Cray avait raison. Une fois en vol, il n'aurait plus la moindre chance.

— Fermez la porte, monsieur Gregorovitch, ordonna Cray. Nous allons décoller.

— Attendez ! intervint Alex en se levant.

Mais Cray lui fit signe de se rasseoir en agitant son arme, un Smith & Wesson .40, petit et puissant, au canon de huit centimètres et à la crosse carrée. Alex savait qu'il était extrêmement dangereux de tirer dans un avion ordinaire. Une balle brisant une vitre ou perforant la carlingue provoquait une dépressurisation de la cabine et rendait le vol impossible. Malheureusement, il ne se trouvait pas dans un avion ordinaire mais dans Air Force One.

— Reste où tu es, Alex, dit Cray.

— Où nous emmenez-vous ? demanda Sabina.

Cray était toujours assis près d'elle sur le sofa. Visiblement il trouvait plus judicieux de la tenir à l'écart d'Alex. Du bout du doigt, il lui caressa la joue. Sabina frissonna de dégoût. Il la répugnait et elle ne se gênait pas pour le lui montrer.

— En Russie, répondit Cray.

— En Russie ? répéta Alex, interloqué.

— Une nouvelle vie pour moi et un retour au pays natal pour M. Gregorovitch. Notre ami Yassen sera accueilli en héros.

— J'en doute, dit Alex avec mépris.

— Détrompe-toi, Alex. Il paraît que les trafiquants de drogue transportent l'héroïne dans des cercueils plombés et que les douaniers détournent la tête.

Contre un généreux bakchich évidemment. La corruption est partout. La drogue coûte dix fois moins cher en Russie qu'en Europe. Moscou et Saint-Pétersbourg comptent au moins trois millions et demi de toxicomanes. Grâce à moi, M. Gregorovitch va mettre fin à un problème qui ravage son pays. Je suis sûr que le Président lui en sera reconnaissant. Lui et moi allons vivre très heureux jusqu'à la fin de nos jours. Ce qui, je le crains, ne sera pas votre cas.

Yassen avait fermé la porte de l'avion. Alex le vit abaisser le levier de verrouillage.

— Portes sur automatique, annonça le Russe.

Le système de sonorisation de l'avion permettait d'entendre dans le cockpit ce qui se disait dans la cabine. Dans le poste de pilotage, Henryk actionna un bouton pour se faire entendre dans la cabine.

— Ici votre commandant de bord. Veuillez attacher vos ceintures et vous préparer au décollage. Merci d'avoir choisi Cray Airlines. Je vous souhaite un agréable vol en notre compagnie.

Il plaisantait, mimant une macabre parodie de véritable décollage.

Les réacteurs vrombirent. Par le hublot, Alex aperçut les faux soldats rompre les rangs et courir vers les camions. Leur travail était terminé. Ils allaient quitter l'aéroport et rentrer à Amsterdam. Alex regarda Sabina. Elle ne bougeait pas. Sans doute attendait-elle qu'il tente quelque chose. Il lui avait dit de lui faire confiance, qu'il trouverait une solution. Comme sa promesse lui paraissait dérisoire à présent !

Air Force One était doté de quatre énormes réacteurs. Alex les entendait tourner. L'avion n'allait pas tarder à décoller. Il jeta des regards désespérés autour de lui : sur la porte verrouillée, sur l'escalier qui montait au cockpit, sur les tables basses et les magazines soigneusement empilés, sur le chariot-bar. Cray se tenait assis les jambes légèrement écartées, le pistolet sur les genoux. Yassen surveillait leur départ, debout près de la porte. Son arme se trouvait dans sa poche, mais Alex savait que le Russe pourrait dégainer, viser et tirer avant même qu'il ait pu cligner de l'œil. Il n'y avait pas d'autre arme en vue, rien dont Alex aurait pu se servir. Aucun espoir de s'en tirer...

L'avion s'ébranla et commença à tourner. Par le hublot, Alex vit une chose extraordinaire : un véhicule était garé près du salon d'accueil VIP, non loin de là. Une sorte de tracteur miniature, avec trois wagonnets chargés de caisses de plastique. Soudain il fut soufflé comme s'il était en papier. Les wagonnets se détachèrent et se mirent à tournoyer, tandis que le tracteur lui-même était renversé sur le flanc et dérapait sur le tarmac.

Le souffle des réacteurs l'avait fait voler comme fétu de paille. Normalement, on remorquait un appareil de cette taille jusqu'à une aire dégagée pour ne causer aucun dégât, avant qu'il ne s'engage sur sa piste d'envol. Cray, bien entendu, ne pouvait attendre. Air Force One avait été mis en poussée arrière et les moteurs – mus par une force propulsive de cent tonnes – étaient tellement puissants qu'ils pouvaient souffler n'importe quoi. Après le tracteur, ce fut le tour du salon d'accueil. Toutes les vitres explosèrent. Un homme de la sécurité qui avait bondi dehors fut projeté en arrière comme un jouet de plastique lancé par un élastique. Une voix se fit entendre sur la sono intérieure. Henryk avait dû brancher la radio afin que Cray puisse écouter les communications avec les contrôleurs aériens.

— Tour de contrôle à Air Force One, annonça une voix d'homme. Vous n'avez pas l'autorisation de rouler sur la piste. Veuillez stopper immédiatement.

La passerelle par laquelle ils étaient montés à bord bascula sur le tarmac. L'avion prit un peu de vitesse et quitta l'aire de stationnement.

Ils roulaient maintenant dans une zone dégagée, loin du bâtiment d'accueil des VIP. La piste principale se trouvait derrière eux. Le reste des bâtiments de l'aéroport était à plus d'un kilomètre. Dans le cockpit, Henryk mit les moteurs en poussée avant. Alex sentit la secousse et entendit le sifflement des réacteurs. Cray fredonnait, le regard vague, perdu dans son monde. Mais il tenait toujours le Smith & Wesson et Alex savait que le moindre mouvement déclencherait une réaction immédiate de sa part. Yassen n'avait pas bougé. Lui aussi semblait plongé dans ses pensées.

L'avion accéléra pour rejoindre la piste d'envol. Henryk avait déjà fourni à l'ordinateur de bord toutes les données nécessaires : poids de l'avion, température extérieure, vitesse du vent, pression atmosphérique. Il décollerait face au vent, lequel soufflait de l'est. La piste principale mesurait près de quatre mille mètres de long et l'ordinateur avait calculé que l'appareil n'utiliserait que deux mille cinq cents mètres. Il était presque vide. Le décollage s'annonçait facile.

— Tour de contrôle à Air Force One. Vous n'avez pas d'autorisation. Veuillez abandonner la procédure de décollage. Je répète : Arrêtez immédiatement.

Henryk coupa la radio pour ne plus entendre la voix du contrôleur de la tour. Il savait que des mesures d'urgence allaient être prises afin d'écarter de sa route tous les autres avions. Après tout, ce Boeing appartenait au président des États-Unis. Déjà les responsables de l'aéroport devaient s'invectiver par téléphone, redoutant non seulement un accident mais un grave incident diplomatique. Le Premier ministre serait très vite informé et, dans tout Londres, des politiques et des hauts fonctionnaires se poseraient la même angoissante question :

Que diable se passait-il ?

Une centaine de kilomètres au-dessus de leurs têtes,

les huit missiles Peacekeeper approchaient de l'espace aérien. Deux de leurs fusées s'étaient déjà détachées, ne laissant que les derniers compartiments contenant leurs modules de déploiement et leurs coiffes de protection. Les Minutemen et les autres missiles n'étaient pas loin derrière, tous équipés de systèmes de navigation ultraperfectionnés. Leurs ordinateurs calculaient déjà les trajectoires et effectuaient les ajustements. Bientôt les missiles se verrouilleraient sur leurs cibles.

Et, dans quatre-vingts minutes, ils fonceraient sur la Terre.

Air Force One roulait à vive allure sur les voies menant à la piste d'envol. L'appareil approchait du point d'attente où il pivoterait à angle droit. Là, le pilote procéderait aux vérifications de départ.

Dans la cabine, Sabina examinait Cray comme si elle le voyait pour la première fois. Son visage n'exprimait qu'un profond mépris.

— Je me demande ce qu'ils vous feront quand vous arriverez en Russie, dit-elle.

— Explique-toi.

— Vont-ils vous réexpédier en Angleterre, ou bien se débarrasser de vous purement et simplement ?

Cray la toisa. On aurait dit qu'elle venait de le gifler. Alex se crispa, craignant le pire. Et le pire arriva.

— J'en ai assez de ces sales gosses, aboya Cray. Ils

ne m'amusent plus du tout. Monsieur Gregorovitch... tuez-les.

— Quoi ? dit Yassen, qui semblait ne pas avoir entendu.

— Vous avez très bien compris. Ils m'ennuient. Liquidez-les tout de suite !

L'avion s'arrêta. Ils avaient atteint le point d'attente. Henryk avait entendu l'ordre donné par Cray à Yassen, mais il ignorait ce qui se passait et il continua la procédure : lever et abaisser les gouvernes de profondeur, tourner les ailerons. Il ne restait que quelques secondes avant le décollage. Une fois assuré que tout était paré, le pilote pousserait les quatre leviers de pas et l'avion bondirait en avant. Henryk vérifia les pédales de gouvernail et la roue avant du train d'atterrissage. Tout était O.K.

— Je ne tue pas les enfants, dit Yassen.

Alex l'avait entendu prononcer les mêmes mots sur le yacht, en France. À ce moment-là il ne l'avait pas cru, mais maintenant il s'interrogeait.

Sabina ne quittait pas Alex des yeux. Elle attendait qu'il passe à l'action. Mais enfermé dans l'avion, alors que le vrombissement des réacteurs devenait assourdissant, il ne pouvait rien faire. Pas encore...

— Que dites-vous ? demanda Cray.

— Inutile de les tuer, expliqua Yassen. Emmenons-les avec nous. Ils sont inoffensifs.

— Pourquoi voulez-vous que je les emmène jusqu'en Russie ?

— On peut les enfermer dans une des cabines. Vous ne les verrez même pas.

— Monsieur Gregorovitch... (Cray respirait bruyamment. La sueur perlait sur son front et sa main s'était crispée sur la crosse de son automatique.) Si vous ne les tuez pas, c'est moi qui le ferai.

Yassen ne bougea pas.

— Très bien ! soupira Cray. Je croyais être le patron mais il semble que je doive tout faire moi-même.

Cray pointa son arme. Alex se leva.

— Non ! cria Sabina.

Cray tira.

Mais il n'avait pas visé Alex, ni même Sabina. La balle frappa Yassen en pleine poitrine.

— Désolé, monsieur Gregorovitch, mais vous êtes renvoyé... *ad patres*.

Cray braqua son arme sur Alex.

— À toi, maintenant.

Il tira une deuxième fois.

Sabina poussa un hurlement. Cray avait visé le cœur et, dans cet espace relativement réduit, il avait peu de chances de le manquer. L'impact de la balle projeta Alex de l'autre côté de la cabine. Il s'effondra brutalement et ne bougea plus.

Sabina se rua sur Cray. Alex mort, l'avion qui allait

décoller, elle n'avait plus rien à perdre. Cray tira mais la manqua. Déchaînée, Sabina hurlait. Elle cherchait à lui griffer les yeux. Mais Cray avait plus de force qu'elle. Il l'empoigna et la projeta en arrière contre la porte. Elle resta là, étourdie et impuissante. Cray leva son arme.

— Adieu, ma chère enfant.

Il allait tirer lorsqu'une main lui saisit le bras. Sabina en resta bouche bée : Alex était debout et apparemment indemne.

Ni Cray ni Sabina n'y comprenaient rien. Ils ne pouvaient deviner qu'Alex portait le maillot de cycliste pare-balles fourni par Smithers. Il avait néanmoins une côte fêlée.

Maintenant Alex était sur Cray. Malgré sa petite taille – il était à peine plus grand qu'Alex –, il possédait une force étonnante.

Alex parvint à lui saisir le poignet pour écarter le pistolet, mais Cray lui encercla le cou de l'autre bras et ses doigts se refermèrent sur sa gorge.

— Sabina ! Va-t'en ! réussit à crier Alex.

Ils se disputaient le Smith & Wesson. Alex concentrait toutes ses forces pour empêcher Cray de le pointer sur lui, mais il ne savait combien de temps il pourrait le retenir. Sabina courut vers la porte et souleva la poignée blanche.

Au même instant, dans le cockpit, Henryk abaissa les quatre leviers. Il voyait la piste d'envol se dérouler devant lui. La voie était libre. Air Force One se propulsa en avant.

La porte s'ouvrit avec un sifflement assourdissant. Étant sur commande automatique, le déverrouillage manuel effectué par Sabina avait déclenché un système pneumatique. Un toboggan de secours se déploya tout seul, pareil à une gigantesque langue orange, et se gonfla...

Une bourrasque de vent et de poussière s'engouffra dans la cabine. Cray avait réussi à orienter le canon de son arme sur la tête d'Alex, mais la force du vent le surprit. Les magazines posés sur la table basse s'envolèrent et se plaquèrent sur son visage comme des papillons géants. Le bar roulant se détacha et commença à glisser sur la moquette, perdant en chemin ses verres et ses bouteilles.

La fureur déformait le visage de Cray. Une grimace hideuse découvrait sa dentition parfaite. Les yeux lui sortaient de la tête. Il jura mais le rugissement des réacteurs couvrit sa voix. Plaquée contre la cloison, Sabina jetait un regard affolé par la porte ouverte sur le ciment et l'herbe qui défilaient à une vitesse folle. Yassen ne bougeait pas ; une tache de sang s'élargissait lentement sur sa chemise. Alex sentait ses forces faiblir. Il relâcha sa pression sur la main de Cray et le coup de feu partit. Sabina poussa un cri. La balle avait fait exploser une lampe à quelques centimètres de sa tête. Alex abattit le tranchant de sa main sur le poignet de Cray pour essayer de lui faire lâcher l'automatique. Mais Cray lui donna un violent coup de genou dans l'estomac et Alex bascula en arrière, le souffle coupé. Pendant ce temps, l'avion continuait de foncer sur la piste. De plus en plus vite.

Dans le poste de pilotage, Henryk eut soudain une inquiétude. Un doute. Un clignotant vert venait de l'avertir de l'ouverture d'une porte et de la dépressurisation de la cabine. Or l'avion roulait déjà à près de cent quatre-vingts kilomètres à l'heure. La tour de contrôle avait sans doute compris ce qui se passait et alerté les autorités. S'il stoppait maintenant, Henryk finirait en prison. Mais s'il décollait ?

C'est alors que l'ordinateur de bord parla.

— V 1...

Une voix de machine, dénuée de toute émotion. Deux syllabes juxtaposées par des circuits électroniques. Or c'étaient les deux dernières syllabes que Henryk souhaitait entendre.

En temps normal, l'officier mécanicien annonce la vitesse, un œil sur la progression de l'appareil. Pourtant, Henryk pilotait seul et il devait s'en remettre au système automatique. L'information que venait lui transmettre l'ordinateur était que l'avion se déplaçait à V1, la vitesse de décision au décollage. En d'autres termes, il allait trop vite pour s'arrêter. S'il essayait d'annuler le décollage, s'il inversait les réacteurs, l'avion allait se crasher.

Cet instant est le plus périlleux de n'importe quel vol, le plus redouté par les pilotes. La plupart des crashs sont causés par une mauvaise décision à ce moment critique. L'instinct de Henryk lui disait de stopper. Au sol, il était en sécurité. Mieux valait un crash ici qu'à mille cinq cents pieds. Mais s'il tentait l'arrêt, l'appareil serait en grave danger.

Il ne savait quoi faire.

*
* *

Le soleil se couchait dans la ville de Quetta, au Pakistan. Pourtant le camp de réfugiés était toujours aussi animé. Des centaines de personnes, serrant fébrilement des couvertures et des réchauds, se frayaient un chemin à travers une ville miniature de tentes, tandis que les enfants, certains en haillons, faisaient la queue pour être vaccinés. Un groupe de femmes assises sur des bancs confectionnaient une couverture de coton.

Un air vif et froid soufflait sur le mont Patkai, au Myanmar, ex-Birmanie. À mille quatre cents mètres d'altitude, le vent apportait des senteurs de pins et de fleurs. À neuf heures et demie du soir, la plupart des gens dormaient. Quelques bergers solitaires veillaient sur leur troupeau. Des milliers d'étoiles brillaient dans le ciel.

En Colombie, dans la région d'Urabá, un nouveau jour venait de se lever et l'odeur du chocolat flottait dans la rue du village. Les *campesinas* – les paysannes – avaient commencé le travail dès l'aube, grillant les fèves de chocolat avant de les écosser. Les enfants affluaient devant leurs portes pour humer cet arôme riche et irrésistible.

Dans les hautes montagnes du Pérou, au nord d'Arequipa, des familles entières, habillées de vêtements colorés, s'acheminaient vers les marchés. Certaines portaient des paniers de fruits et de légumes – leur seul bien négociable. Une femme coiffée d'un chapeau melon était assise entre des rangées de sacs remplis d'épices. Des adolescents rieurs jouaient au ballon dans la rue.

Voilà les cibles que les missiles avaient sélectionnées... Il en existait des milliers – des millions – d'autres semblables. Tous des femmes et des hommes innocents. Bien sûr, tous ces gens connaissaient les champs où l'on cultivait le pavot. Ils connaissaient ceux qui y travaillaient. Mais ça ne les concernait pas. Il fallait bien vivre.

Et aucun d'eux, bien sûr, ne savait que des missiles s'apprêtaient à s'abattre sur leurs têtes. Ils ignoraient l'horreur qui fonçait vers eux.

À bord d'Air Force One, la fin se précipita.

Cray martelait la tête d'Alex, encore et encore. Alex

continuait de s'accrocher au pistolet, mais sa prise faiblissait. Il finit par retomber en arrière, épuisé et en sang, le visage meurtri et les yeux à moitié fermés.

Le toboggan de secours était gonflé et flottait à l'horizontale, rabattu vers les ailes par le vent. L'avion roulait à deux cent quatre-vingt-cinq kilomètres à l'heure. Il quitterait le sol dans moins de dix secondes.

Cray leva son arme une dernière fois au-dessus d'Alex.

Puis il poussa un cri. Il venait d'être heurté par le bar roulant que Sabina avait poussé violemment contre lui. Le chariot le percuta derrière les genoux. Ses jambes fléchirent. Il perdit l'équilibre et bascula en arrière sur le chariot. Sous le choc, il lâcha son pistolet. Sabina plongea pour le récupérer.

Alex en profita pour se relever. Il avait rapidement évalué les distances et les angles. Il savait quoi faire. Avec un cri de rage, il se jeta en avant, bras tendus, et poussa le chariot de toutes ses forces. Cray hurla. Sous la violence de la charge, le chariot traversa toute la largeur de la cabine jusqu'à la porte en emportant Cray.

Et il ne s'arrêta pas à la porte. Le chariot bondit sur le toboggan et entama sa descente. Chancelant, Alex assista à la chevauchée infernale de Cray. Le chariot arriva à mi-parcours du toboggan, que la force du vent continuait à rabattre vers les ailes.

C'est ainsi que Damian Cray arriva à proximité du réacteur numéro deux.

La dernière chose qu'il vit fut la bouche béante du moteur. Puis le vent l'emporta. Avec un hurlement horrible, inarticulé, il fut aspiré par le réacteur, et le chariot avec lui.

Cray se transforma en viande hachée. Plus que cela, il fut littéralement vaporisé. En une seconde il se métamorphosa en un nuage de gaz rouge qui se dissipa dans l'atmosphère. De lui, il ne resta rien. Le chariot offrit davantage de résistance. Il y eut un grand bang. Comme un coup de canon. Une immense langue de feu explosa à l'arrière. Le moteur s'était détaché.

Le Boeing devint alors incontrôlable.

Henryk avait décidé d'annuler le décollage et s'efforçait de ralentir, mais trop tard. Un des moteurs de gauche venait subitement de flancher. Et les deux moteurs de droite tournaient à plein régime. Le déséquilibre fit violemment pivoter l'appareil sur la gauche. Sabina et Alex furent projetés au sol. Autour d'eux des ampoules sautèrent, il y eut des étincelles. Tout ce qui n'était pas solidement arrimé tomba. Henryk bataillait pour redresser l'appareil mais sans espoir. L'avion tournoya et quitta la piste. C'était fini. La sol tendre ne pouvait supporter une telle masse. Dans un terrible fracas, le train d'atterrissage se rompit et l'appareil se coucha sur le flanc.

La cabine bascula et Alex sentit le sol se dérober. Il eut l'impression que l'avion faisait un tonneau.

Enfin, l'engin s'arrêta. Les moteurs se turent. Air Force One reposait sur le côté. Le hurlement des sirènes éclata. Des véhicules de secours affluaient de toutes parts.

Alex essaya de bouger mais ses jambes ne lui obéissaient plus. Il gisait sur le sol et sentait l'obscurité se refermer sur lui. Pourtant il savait qu'il ne devait pas perdre conscience. Son travail n'était pas terminé.

— Sabina ?

Il fut soulagé quand il la vit se relever et s'approcher.

— Alex ? Tu es blessé ?

— Va dans la salle des communications. Il y a un bouton marqué « Autodestruction ».

Sabina ne bougea pas. Elle semblait pétrifiée. Alex lui prit le bras.

— Sabina. Vas-y. Les missiles...

— Oui, oui... bien sûr.

Elle était en état de choc. Trop de choses s'étaient passées. Pourtant elle comprit. Elle alla vers l'escalier en titubant, agrippée aux cloisons inclinées pour garder son équilibre. Alex ne pouvait plus faire un geste. Et quand il entendit la voix de Yassen, il n'avait plus assez de force pour être étonné.

— Alex...

Celui-ci tourna la tête. Il s'attendait à voir une arme dans la main du Russe et cela lui sembla injuste. Pourquoi mourir maintenant alors que les secours n'allaient plus tarder ? Mais Yassen n'avait pas d'arme. Couvert de sang, il s'était redressé contre une table. Son regard avait une couleur étrange, comme si le bleu se vidait de ses yeux. Son teint paraissait plus pâle que d'habitude, sa tête renversée en arrière. Pour la première fois, Alex remarqua une cicatrice dans son cou. Une ligne mince et droite qui semblait tracée par une règle.

— S'il te plaît..., murmura Yassen.

Réticent, Alex se força à ramper vers le Russe au milieu des débris épars. Après tout, la mort de Cray et la destruction de l'avion n'avaient été possibles que parce que Yassen avait refusé de les tuer, Sabina et lui.

— Où est passé Cray ?

— Il est parti en chariot.

— Mort ?

— Mieux que ça.

Yassen hocha la tête d'un air satisfait.

— Je savais que je commettais une erreur en travaillant pour lui. Je le savais.

Il se tut, chercha sa respiration, plissa les yeux, puis il reprit :

— Je dois te dire une chose, Alex...

Le plus étrange était qu'il parlait tout à fait normalement, comme s'il conversait tranquillement avec un ami. Malgré lui, Alex ne pouvait s'empêcher d'admirer la maîtrise de cet homme qui n'avait plus que quelques minutes à vivre.

Quand Yassen reprit la parole, la vie entière d'Alex en fut bouleversée...

— Je ne pouvais pas te tuer, Alex. Jamais je n'aurais pu. Parce que... je connaissais ton père.

— Quoi ?

En dépit de son épuisement, en dépit de sa douleur, Alex sentir un frisson le parcourir.

— Ton père. Lui et moi... on a travaillé ensemble.

— Il a travaillé avec vous ?

— Oui.

— Vous voulez dire que... c'était un espion ?

— Pas un espion, Alex. Un tueur. Comme moi. Le meilleur. Le meilleur de tous. Je l'ai rencontré quand j'avais dix-neuf ans. Il m'a beaucoup appris...

— Non !

Alex refusait d'y croire. Il n'avait jamais connu son père, il ne savait rien de lui. Mais ce que disait Yassen ne pouvait être vrai. Il s'agissait certainement d'une macabre plaisanterie.

Les sirènes approchaient. Le premier véhicule de secours devait être arrivé. Alex entendit des hommes crier dehors.

— Je ne vous crois pas, protesta Alex. Mon père n'était pas un tueur. Ce n'est pas possible !

— Je te dis la vérité. Il fallait que tu le saches.

— Il travaillait pour le MI6 ?

— Non. (L'ombre d'un sourire effleura le visage de Yassen. Mais c'était un sourire empli de tristesse.) Le MI6 le pourchassait. Ils l'ont tué. Ils ont essayé de nous tuer tous les deux. J'ai réussi à filer, mais lui... Ils ont éliminé ton père, Alex.

— Non !

— Pourquoi te mentirais-je ? (Yassen prit lentement la main d'Alex. Puis, du bout de son index, il parcourut la cicatrice de son cou.) Ton père... c'est lui qui m'a fait ça. (Mais sa voix faiblissait et il n'eut pas la force de donner des détails.) Il m'a sauvé la vie. Je l'aimais. Toi aussi, je t'aime, Alex. Tu lui ressembles beaucoup. Je suis heureux que tu sois près de moi en ce moment.

Il se tut et un spasme de douleur déforma ses traits. Mais il avait encore quelque chose à ajouter et il fit un ultime effort.

— Si tu ne me crois pas, va à Venise. Trouve Scorpia. Tu découvriras ton destin...

Yassen ferma les yeux et Alex comprit qu'il ne les rouvrirait plus jamais.

Dans la salle des communications, Sabina trouva le bouton et l'enfonça. Dans l'espace, le premier des Minutemen explosa en mille fragments, dans une déflagration étincelante et silencieuse. Quelques secondes plus tard, les autres missiles l'imitèrent.

Air Force One était encerclé. Une flotte de véhicules de secours l'entourait et deux camions de pompiers l'inondaient de mousse blanche.

Mais Alex n'avait aucune conscience de tout cela. Il gisait à côté de Yassen, les yeux fermés. Il s'était évanoui, paisiblement et avec gratitude.

18

LE PONT DE RICHMOND

Les cygnes n'allaient nulle part. Ils semblaient simplement heureux de tourner lentement en rond sous le soleil, et de plonger de temps à autre la tête sous l'eau pour chercher des insectes, des algues et autres gourmandises. Alex les observait avec fascination depuis une demi-heure. Il se demandait quel effet cela faisait d'être un cygne. Comment ils parvenaient à garder leurs plumes si blanches.

Il était assis sur un banc près de la Tamise, à la sortie de Richmond, là où le fleuve semble abandonner Londres et délaisser la ville, juste après le pont de Richmond. En amont, on apercevait des champs et des bois, ridiculement verts, qui se prélassaient dans la chaleur de l'été anglais.

Une jeune fille au pair poussait un landau sur le chemin de halage. Elle remarqua Alex et, les traits figés, elle serra les poignées du landau et pressa le pas. Alex savait qu'il avait une tête épouvantable, comme ces visages sur les affiches placardées par la municipalité. Alex Rider, quatorze ans, orphelin en quête d'une famille ! Sa lutte avec Damian Cray avait laissé des marques. Bien plus que des hématomes et des coupures. Ceux-ci s'estomperaient comme les autres. Cette fois sa vie lui paraissait réduite en morceaux.

Les dernières paroles de Yassen Gregorovitch l'obsédaient. Deux semaines s'étaient écoulées et pourtant il continuait de s'éveiller en pleine nuit, de revivre les derniers instants de Air Force One. Son père avait été un tueur à gages, assassiné par ceux-là mêmes qui gouvernaient maintenant sa vie. Alex se refusait à le croire. Yassen avait forcément menti pour se venger. Ce ne pouvait être que la seule explication. Et pourtant, dans le regard du mourant, il n'avait vu aucune tromperie, seulement une étrange tendresse et le désir de dévoiler la vérité.

« Va à Venise. Trouve Scorpia. Tu découvriras ton destin. »

Alex avait l'impression que son destin, justement, était d'être trompé et manipulé par des adultes qui se moquaient totalement de lui. Irait-il à Venise ? Comment trouverait-il Scorpia ? D'ailleurs qu'était Scorpia ? Une personne ou un lieu ? Alex fixait les cygnes comme s'ils allaient lui répondre. Mais les cygnes évoluaient sur l'eau avec indifférence.

Une ombre se profila sur le banc. Alex leva les yeux et sentit une boule se nouer dans son estomac. Mme Jones se tenait devant lui. L'officier du MI6 portait un ensemble pantalon en soie grise, dont la veste lui descendait aux genoux. Hormis une épingle d'argent sur le revers, elle ne portait aucun bijou. Sa présence dehors, sous ce soleil, semblait incongrue. Alex n'avait pas envie de la voir. En fait, avec Alan Blunt, elle était la dernière personne qu'il souhaitait rencontrer.

— Je peux m'asseoir, Alex ?

— Puisque vous êtes là. (Mme Jones s'assit.) Vous m'avez suivi ?

Il n'aurait pas été étonné d'apprendre que le MI6 l'avait placé sous surveillance vingt-quatre heures sur vingt-quatre depuis deux semaines.

— Non. Ton amie Jack Starbright m'a dit que je te trouverais ici.

— J'ai rendez-vous avec quelqu'un.

— Pas avant midi. Jack est venue me voir, Alex. Tu aurais dû passer à Liverpool Street pour faire ton rapport. Nous avons besoin de ton témoignage.

— Pourquoi aller à Liverpool Street ? Il n'y a rien, là-bas ! Juste une banque !

— C'était mal de notre part, admit Mme Jones. Je regrette. Je sais que tu ne veux pas me parler. Tu n'y es pas obligé. Mais j'aimerais que tu m'écoutes. D'accord ?

Elle lui jeta un regard anxieux. Alex ne répondit rien et elle poursuivit :

— Nous ne t'avons pas cru quand tu es venu nous voir, c'est vrai. Nous avons eu tort. C'était stupide. Mais il nous a paru totalement absurde qu'un homme tel que Damian Cray puisse menacer la sécurité nationale. Pour nous, c'était une pop star riche et excentrique, qui aimait se donner en spectacle.

« Mais n'imagine pas que nous t'avons ignoré, Alex. Alan Blunt et moi avons des points de vue différents à ton sujet. S'il n'avait tenu qu'à moi, jamais nous ne t'aurions enrôlé... pas même dans l'affaire Stormbreaker. Mais la question n'est pas là. Après ton départ, j'ai décidé de m'intéresser à Damian Cray. Je ne pouvais pas faire grand-chose sans autorisation, mais je l'ai fait surveiller et tous ses faits et gestes m'étaient rapportés.

« J'ai ainsi appris que tu étais à Hyde Park lors de la présentation de la console de jeu de Cray. J'ai lu le rapport sur la mort de la journaliste. Apparemment il s'agissait d'une malheureuse coïncidence. Ensuite on m'a fait part d'un incident, à Paris, où un photographe et son assistant ont été tués. Pendant ce temps, Damian Cray se trouvait en Hollande. On m'a rapporté l'histoire d'une course poursuite dans Amsterdam. La police faisait état de voitures et de motos pourchassant un adolescent sur un vélo. Évidemment j'ai compris que c'était toi. Mais je n'avais pas la moindre idée de ce qui se passait.

« Puis ton amie Sabina a disparu de l'hôpital Whitchurch. Là, je me suis vraiment alarmée. Je sais. Tu dois penser qu'on a été très lents à réagir et tu as raison. Mais tous les services de renseignements du monde se ressemblent. Quand ils agissent, ils sont efficaces. Mais souvent ils se réveillent trop tard.

« Comme cette fois-ci. Quand nous sommes venus te chercher, tu te trouvais déjà avec Cray, dans le Wiltshire. Nous avons parlé avec Jack Starbright. Ensuite nous sommes allés chez lui. Et là encore nous t'avons manqué. Mais cette fois nous ignorions où tu étais. Dans Air Force One ! Rien que ça ! La CIA paniquait complètement. Alan Blunt a été convoqué chez le Premier ministre la semaine dernière. Il se pourrait qu'il soit contraint de démissionner.

— Ça me brise le cœur, grommela Alex.

— Alex... toutes les épreuves que tu as endurées... Je sais que ça a été très dur pour toi. Tu étais seul et ça n'aurait jamais dû arriver. Mais quel résultat ! Tu as sauvé des millions de vies. Quels que soient tes sentiments aujourd'hui, tu ne dois jamais l'oublier. Dieu seul sait quelles auraient été les conséquences si le plan de Cray avait réussi. Le président des États-Unis aimerait beaucoup te rencontrer. Ainsi que notre Premier ministre. Tu es également invité au palais royal.

Bien entendu, personne d'autre n'est au courant à ton sujet. Tu restes un agent secret. Mais tu peux être fier de toi. Ce que tu as fait est... fantastique.

— Qu'est devenu Henryk ? demanda Alex.

La question désarçonna Mme Jones, mais c'était la seule chose qu'Alex ignorait.

— Il est mort, répondit Mme Jones. Il a été tué dans le crash. Vertèbres cervicales brisées.

— Donc tout est terminé. Vous voulez bien me laisser seul, maintenant ?

— Jack s'inquiète pour toi, Alex. Moi aussi. Il faudra que tu finisses par accepter tout ce qui s'est passé. Peut-être auras-tu besoin d'une thérapie.

— Je ne veux pas de thérapie. Je veux seulement qu'on me laisse tranquille.

— Très bien.

Mme Jones se leva, hésitante. Pour la quatrième fois, elle voyait Alex à la fin d'une mission. Chaque fois elle avait compris qu'il en sortait atteint. Mais cette dernière expérience était la pire de toutes et elle sentait qu'Alex lui cachait quelque chose.

Saisie d'une intuition, elle lui demanda :

— Tu te trouvais dans l'avion avec Yassen quand il a été abattu. T'a-t-il dit quelque chose avant de mourir ?

— Comme quoi ?

— Est-ce qu'il t'a... parlé ?

Alex la regarda droit dans les yeux et répondit :

— Non. Il n'a rien dit.

Alex regarda Mme Jones s'éloigner. Ainsi donc Yassen avait raconté la vérité. La dernière question de Mme Jones le prouvait. Alex savait désormais qui il était.

Le fils d'un tueur à gages.

*
* *

Sabina l'attendait sous le pont. Alex devinait que l'entrevue serait brève. Ils n'avaient plus grand-chose à se dire.

— Tu vas bien, Alex ?

— Oui. Et ton père ?

— Mieux. Je pense qu'il va se rétablir.

— Tu crois qu'il va changer d'avis ?

— Non, Alex. Nous partons.

Sabina lui avait annoncé la nouvelle au téléphone, la veille au soir. Les Pleasure quittaient le pays. Ils voulaient vivre dans un endroit tranquille pour donner le temps à Edward Pleasure de guérir. Ils pensaient que ce serait plus facile pour lui de commencer une nouvelle vie et avaient choisi San Francisco. Un grand journal lui avait offert un poste. Et puis il comptait écrire un livre : la vérité sur Damian Cray. L'ouvrage lui rapporterait sûrement une fortune.

— Quand partez-vous ?

— Mardi.

Sabina essuya quelque chose au coin de son œil. Une larme ? Pourtant, quand elle regarda de nouveau Alex, elle souriait.

— On restera en contact, Alex. On communiquera par mail. Et tu pourras venir en vacances chez nous.

— À condition qu'elles ne ressemblent pas aux dernières.

— Ça va me faire drôle d'aller dans un collège américain... Tu sais, Alex, tu as été fantastique dans l'avion, reprit-elle soudain. Quand Cray te disait ces choses horribles, tu n'avais même pas l'air effrayé. Tu crois que... tu travailleras encore pour le MI6 ?

— Non.

— Tu penses qu'ils vont te laisser tranquille ?

— Je ne sais pas, Sabina. Tout ça est la faute de mon oncle. J'ai l'impression d'être coincé dans un engrenage.

— Je m'en veux encore de ne pas t'avoir cru, soupira Sabina. Maintenant je comprends tout ce que tu as enduré. Ils m'ont fait signer leur papier officiel sur les secrets d'État. Je n'ai le droit de parler de toi à personne. Mais... je ne t'oublierai jamais.

— Tu vas me manquer, Sabina.

— On se reverra. Tu viendras en Californie. Et si jamais je reviens à Londres, je te préviendrai.

— D'accord.

Sabina mentait. Alex savait que c'était un adieu, pas

un simple au revoir, et que jamais plus ils ne se reverraient...

Sabina lui enlaça le cou et l'embrassa.

— Au revoir, Alex.

Il la regarda s'éloigner et disparaître de sa vie. Ensuite il revint sur ses pas le long de la rivière. Il dépassa les cygnes et poursuivit son chemin vers la campagne. Sans s'arrêter. Sans un regard en arrière.

TABLE

« Pour l'éditeur, le principe est d'utiliser des papiers composés de fibres naturelles, renouvelables, recyclables et fabriquées à partir de bois issus de forêts qui adoptent un système d'aménagement durable. En outre, l'éditeur attend de ses fournisseurs de papier qu'ils s'inscrivent dans une démarche de certification environnementale reconnue. »

Édité par la Librairie Générale Française - LPJ
(43 quai de Grenelle, 75905 Paris Cedex 15)

Composition Nord Compo
Achevé d'imprimer en Espagne par BLACK PRINT CPI IBERICA
Dépôt légal 1re publication juillet 2014
37.5558.8/01 - ISBN : 978-2-01-397111-9
Loi n° 49-956 du 16 juillet 1949 sur les publications destinées à la jeunesse
Dépôt légal : juillet 2014